L'HOMME QUI VOULAIT ÊTRE HEUREUX

Laurent Gounelle

L'HOMME QUI VOULAIT ÊTRE HEUREUX

Éditions Anne Carrière

ISBN : 978-2-8433-7470-8

www.anne-carriere.fr

À Zoé, mon Amour.

« Nous sommes ce que nous pensons. Avec nos pensées, nous bâtissons notre monde. »

Bouddha

1

Je ne voulais pas quitter Bali sans l'avoir rencontré. Je ne sais pas pourquoi. Je n'étais pas malade ; j'ai même toujours été en excellente santé. Je m'étais renseigné sur ses honoraires car, mon séjour touchant à sa fin, mon portefeuille était quasiment vide. Je n'osais même plus consulter mon compte en banque à distance. Les gens qui le connaissaient m'avaient répondu : « Tu donnes ce que tu veux, tu le lui glisses dans une petite boîte posée sur l'étagère. » Bon, cela m'avait rassuré, même si j'angoissais un peu à l'idée de laisser un tout petit billet à quelqu'un qui avait, disait-on, soigné le Premier ministre du Japon.

Ce fut difficile de trouver sa maison, perdue dans un petit village à quelques kilomètres d'Ubud, au centre de l'île. Je ne sais pas pourquoi, dans ce pays, il n'y a pratiquement pas de panneaux indicateurs.

Lire une carte, c'est possible quand on a des points de repère, sinon c'est aussi inutile qu'un téléphone portable dans une zone où l'on ne capte pas. Restait, bien sûr, la solution de facilité : demander à des passants. J'ai beau être un homme, cela ne m'a jamais posé de problème. Il me semble parfois que la plupart des hommes auraient l'impression de perdre leur virilité s'ils devaient s'abaisser à ça. Ils préfèrent se murer dans un silence signifiant « Je sais », feignent de se repérer, jusqu'à ce qu'ils soient complètement perdus et que leur femme leur dise : « Je t'avais bien dit qu'on aurait dû demander. »

L'ennui, à Bali, c'est que les gens sont si gentils qu'ils disent toujours oui. Vraiment. Si vous dites à une fille « Je vous trouve très jolie », elle vous regardera avec un beau sourire et vous répondra : « Oui. » Et quand vous demandez votre chemin, ils sont tellement désireux de vous aider qu'il leur est insupportable de vous avouer qu'ils n'en sont pas capables. Alors, ils vous indiquent une direction, sans doute au hasard.

J'étais donc un peu énervé lorsque je me suis retrouvé devant l'entrée du jardin.

Je ne sais pas pourquoi, mais j'avais imaginé une maison assez luxueuse, comme on en voit parfois à

Bali, avec des bassins couverts de fleurs de lotus, sous l'ombre bienveillante des frangipaniers exhibant de grosses fleurs blanches au parfum tellement enivrant que c'en est presque impudique. En fait de maison, c'était une succession de campans, sortes de maisonnettes sans murs qui communiquent les unes avec les autres. À l'image du jardin, ils étaient d'une grande simplicité, assez dépouillés, sans faire pauvres pour autant.

Une jeune femme vint à ma rencontre, enroulée dans son sarong, ses cheveux noirs relevés en chignon, le teint hâlé, un petit nez régulier et des yeux non bridés, traits qui m'ont toujours étonné chez cette population enfouie au cœur de l'Asie.

– Bonjour, que voulez-vous ? me demanda-t-elle, s'exprimant d'entrée de jeu dans un anglais approximatif.

Mon mètre quatre-vingt-dix et mes cheveux blonds laissaient peu d'ambiguïté sur mes origines occidentales.

– Je viens voir monsieur... euh... maître... Sam-tyang.

– Il va venir, m'informa-t-elle avant de disparaître entre les arbustes et la succession de petites colonnes qui soutenaient les toits des campans.

Je restai un peu bête, debout, en attendant que Son Excellence daigne venir accueillir l'humble visiteur que j'étais. Au bout de cinq minutes, qui me parurent suffisamment longues pour m'amener à m'interroger sur la pertinence de ma présence ici, je vis s'avancer un homme d'au moins soixante-dix ans, peut-être même quatre-vingts. La première chose qui me vint à l'esprit fut que je lui aurais sans doute donné cinquante roupies si je l'avais vu faire la manche dans la rue. J'ai tendance à ne donner qu'aux vieux : je me dis que s'ils mendient à leur âge, c'est vraiment qu'ils n'ont pas le choix. L'homme qui marchait lentement dans ma direction n'était pas en haillons, certes, mais ses vêtements étaient d'une sobriété désarmante, minimalistes et sans âge.

J'ai honte d'avouer que mon premier réflexe fut de penser qu'il y avait erreur sur la personne. Il ne pouvait s'agir du guérisseur dont la réputation s'étendait outre-mer. Ou alors son don allait de pair avec son manque de discernement et il acceptait que le Premier ministre du Japon le paye en cacahuètes. Il aurait pu aussi être un génie du marketing, ciblant une clientèle d'Occidentaux crédules, avides de clichés, comme celui du guérisseur vivant en ascète dans le parfait détachement à l'égard des choses matérielles, mais acceptant en fin de séance une rétribution généreuse.

Il me salua et m'accueillit simplement, s'exprimant avec beaucoup de douceur dans un très bon anglais. La luminosité de son regard contrastait avec les rides de sa peau tannée. Son oreille droite présentait une malformation, comme si le lobe avait été en partie sectionné.

Il m'invita à le suivre dans le premier campan : un toit soutenu par quatre petites colonnes, adossé à un vieux mur, une étagère – la fameuse – le long du mur, un coffre en bois de camphrier, et, sur le sol, une natte. Le coffre ouvert débordait de documents, parmi lesquels des planches représentant l'intérieur du corps humain, ce qui, dans un autre contexte, m'aurait donné envie de pisser de rire tellement les représentations étaient éloignées de la connaissance médicale actuelle.

Je me déchaussai avant d'entrer, comme le veut la tradition balinaise.

Le vieil homme me demanda de quoi je souffrais, ce qui me renvoya brutalement à la raison de ma présence ici. Que cherchais-je au juste, puisque je n'étais pas malade ? J'allais faire perdre son temps à un homme dont je commençais à sentir l'honnêteté, pour ne pas dire l'intégrité, même si je n'avais encore aucune preuve de sa compétence. Avais-je seulement envie que quelqu'un se penche sur mon cas, s'intéresse à moi, me parle de « mÔa » et, qui sait, découvre qu'il y a un moyen pour que j'aille encore mieux? À moins que j'aie obéi à une sorte d'intuition... Après tout, on m'avait dit que c'était un grand bonhomme, et j'avais tout simplement envie de le rencontrer.

— Je viens pour un check-up, lui confiai-je en rougissant à l'idée que je n'étais pas à la visite médicale annuelle et que ma demande était déplacée.

— Allongez-vous là, me dit-il en désignant la natte et sans manifester aucune réaction à la futilité de ma requête.

2

Ainsi commença la première – et, j'espère, la dernière – séance de torture que je connus dans ma vie. Tout avait débuté normalement : allongé sur le dos, détendu, confiant et mi-amusé, je le laissais palper en douceur différentes zones de mon corps. Ma tête, pour commencer, puis ma nuque. Mes bras, tout du long jusqu'aux dernières phalanges de mes doigts. Suivirent différentes zones apparemment très précises sur mon torse, puis mon ventre. J'eus le soulagement de constater qu'il était passé directement du ventre au haut des cuisses. Mes genoux, mes mollets, mes talons, la plante de mes pieds : il palpait tout, et cela ne me dérangeait pas outre mesure.

Enfin, il arriva aux orteils.

3

Je ne savais pas qu'il était possible de faire à ce point souffrir un homme rien qu'en tenant son petit orteil gauche entre le pouce et l'index. Je hurlais et me tordais dans tous les sens sur ma natte. Vu de loin, on devait avoir l'impression d'un pêcheur qui essaye de fixer à son hameçon un asticot d'un mètre quatre-vingt-dix. Je reconnais que je suis de nature plutôt douillette, mais ce que j'éprouvais dépassait en intensité tout ce que j'avais ressenti jusque-là.

— Vous avez mal, me dit-il.

Sans blague. J'étouffai un « oui » entre deux gémissements. Je n'avais même plus la force de crier. Lui n'avait pas l'air affecté par ma souffrance, il conservait une sorte de neutralité bienveillante. Son visage exprimait même une sorte de bonté qui contrastait avec le traitement qu'il m'infligeait.

– Vous êtes quelqu'un de malheureux, dit-il, comme s'il posait son diagnostic.

À cet instant précis, oui. Très. Je ne savais plus si je devais pleurer ou rire de cette situation dans laquelle je m'étais mis. Je crois que je faisais les deux à la fois. Je n'ai jamais eu mon pareil pour dénicher des plans comme ça. Et dire que j'aurais pu passer ma journée sur la plage, à discuter avec les pêcheurs et regarder les jolies Balinaises !

– Votre douleur en ce point précis est le symptôme d'un mal-être plus général. Si j'exerce la même pression au même endroit chez quelqu'un d'autre, il ne devrait pas avoir mal, affirma-t-il.

Sur ce, il relâcha enfin mon pied, et je me sentis d'un seul coup le plus heureux des hommes.

– Quelle est votre profession ?

– Je suis enseignant.

Il me considéra un instant, puis s'éloigna, l'air songeur, comme préoccupé. J'avais un peu le sentiment d'avoir dit ce qu'il ne fallait pas, ou encore d'avoir fait une bêtise. Il regardait vaguement dans la direction d'un bougainvillier en fleur, à quelques pas de là. Il paraissait absorbé par ses pensées. Qu'étais-je censé faire ? M'en aller ? Tousser pour lui rappeler ma présence ? Il m'extirpa de mes interrogations en revenant vers moi. Il s'assit à même le sol et me parla les yeux dans les yeux.

— Qu'est-ce qui ne va pas dans votre vie? Vous avez une très bonne santé. Alors, qu'est-ce que c'est? Le travail? Les amours? Votre famille?

Sa question était directe, et ses yeux me fixaient, ne me laissant aucune échappatoire, même si sa voix et son regard étaient bienveillants. Je me sentais obligé de répondre, me dévoilant à un homme que je ne connaissais pas une heure auparavant.

— Je ne sais pas, oui, je pourrais être plus heureux, c'est comme tout le monde, quoi.

— Je ne vous demande pas de répondre pour les autres, mais pour vous, me répliqua-t-il calmement.

Il commence à m'agacer, celui-là. Je fais ce que je veux et ça ne le regarde pas, pensai-je, ressentant un début de colère.

— Disons que je serais plus heureux si j'étais en couple.

Pourquoi lui avais-je dit cela? Je sentais ma colère se tourner contre moi. Je suis vraiment incapable de m'opposer à la demande de quelqu'un. C'est lamentable.

— Dans ce cas, pourquoi ne l'êtes-vous pas?

Bon, là, il faut que je prenne une décision, même si c'est pas mon fort : soit je l'interromps et je m'en vais, soit je joue le jeu jusqu'au bout.

Je m'entendis lui répondre :

— Je voudrais bien, encore faudrait-il que je plaise à une femme.

— Qu'est-ce qui vous en empêche ?

— Eh bien, je suis trop maigre, lâchai-je, rouge de honte et de colère mêlées.

4

En s'exprimant lentement, presque à voix basse, et en détachant chaque mot, il me dit :

— Votre problème n'est pas dans votre corps, mais dans votre tête.

— Non, ce n'est pas dans ma tête : c'est un fait objectif, concret ! Il vous suffit de me mettre sur une balance, ou de mesurer mes pectoraux, ou encore la circonférence de mes biceps. Vous verrez vous-même, et ni le mètre-ruban ni la balance n'ont de parti pris. Je ne peux pas les influencer avec mon esprit tordu et névrosé.

— La question n'est pas là, me répondit-il patiemment, conservant son grand calme.

— Facile à dire...

— Votre problème n'est pas votre physique, mais ce que vous croyez de sa perception par les femmes. En vérité, le succès que l'on a ou pas auprès de l'autre sexe n'a que peu de rapports avec notre apparence physique.

— Si je dis ça à ma voisine de cent vingt kilos qui a un nez en forme de patate, elle m'écrase sur la figure le triple Big Mac qu'elle a en permanence à portée de main, et elle appuie jusqu'à ce que le ketchup me remonte dans les sinus.

— Vous n'avez jamais vu de personnes dont le physique est très éloigné des canons de la beauté en couple avec quelqu'un de plutôt bien physiquement ?

— Si, bien sûr.

— La plupart des gens qui ont votre problème ont d'ailleurs un physique « normal », avec de petits défauts sur lesquels ils se focalisent. Une bouche trop fine, des oreilles trop longues, un peu de culotte de cheval, un léger double menton, un nez trop fort ou trop court. Ils se trouvent un peu trop petits, trop grands, trop gros ou trop maigres, et ils arrivent à s'en persuader. Quand ils rencontrent une personne qui pourrait les aimer, ils n'ont qu'une obsession : leur défaut. Ils sont convaincus qu'ils ne pourront lui plaire à cause de cela. Et vous savez quoi ?

— Quoi ?

— Ils ont raison ! Quand on se voit moche, les autres nous voient moches. Je suis certain que les femmes vous trouvent trop maigre.

— Hou là...

— Les autres nous voient comme nous nous voyons nous-mêmes. Quelle est votre actrice préférée ?

— Nicole Kidman.

— Vous la trouvez comment ?

— Excellente actrice, l'une des meilleures de sa génération. Je l'adore.

— Non, je veux dire physiquement.

— Superbe, magnifique, c'est une bombe.

— Vous avez dû voir *Eyes Wide Shut* de Stanley Kubrick ?

— Vous regardez les films américains ? Vous avez un récepteur satellite dans votre campan ?

— Si ma mémoire est bonne, il y a une scène où l'on voit Nicole Kidman entièrement nue, en compagnie de Tom Cruise.

— Votre mémoire est bonne.

— Allez au vidéoclub de Kuta, et faites-vous projeter *Eyes Wide Shut*. Ils ont des cabines pour les gens qui ne possèdent pas de magnétoscope. Quand vous en arriverez à cette scène, faites un arrêt sur l'image et observez attentivement.

— Cela ne me demandera pas trop d'effort.

— Oubliez pendant quelques instants qu'il s'agit de Nicole Kidman, imaginez que c'est une inconnue, et regardez objectivement son corps.

– Oui...

– Vous constaterez vous-même qu'elle est bien, elle a un beau corps, mais pas parfait pour autant. Ses fesses sont jolies, mais elles pourraient être plus rebondies, un peu plus dessinées. Ses seins sont pas mal, mais ils auraient pu être plus volumineux, avoir un plus joli galbe, et être un peu plus hauts, plus dressés. Vous verrez aussi que les traits de son visage sont réguliers, fins, mais ne recèlent pas non plus une beauté exceptionnelle.

– Où voulez-vous en venir ?

– Il y a des dizaines de milliers de femmes aussi belles que Nicole Kidman. Vous en croisez tous les jours dans la rue et vous ne les remarquez même pas. Sa vraie force est ailleurs.

– Oui ?...

– Nicole Kidman est vraisemblablement convaincue d'être superbe. Elle doit être persuadée que tous les hommes la désirent, et que toutes les femmes l'admirent ou la jalousent. Elle se voit probablement comme l'une des plus belles femmes du monde. Elle le croit si fort que les autres la voient ainsi.

– En 2006, le magazine britannique *Eve* l'a élue comme étant l'une des cinq plus belles femmes du monde.

– Voilà.

— Et comment expliquez-vous cela?

— Que les autres ont tendance à nous voir comme l'on se voit soi-même?

— Oui.

— Vous allez faire une expérience. Pendant un moment, vous allez imaginer quelque chose. Peu importe que ce soit vrai ou faux. Persuadez-vous seulement que cela est vrai. Vous êtes prêt?

— Là, tout de suite?

— Oui, maintenant. Vous pouvez fermer les yeux si c'est plus simple pour vous.

— Ok, je suis prêt.

— Imaginez que vous vous trouvez très beau. Vous êtes convaincu d'avoir un impact énorme sur les femmes. Vous marchez sur la plage, à Kuta Beach, au milieu des Australiennes en vacances. Comment vous sentez-vous?

— Très, très bien. Un vrai bonheur.

— Décrivez-moi votre démarche, votre posture. Je vous rappelle que vous vous trouvez très beau.

— J'ai une démarche... comment dire?... plutôt assurée, tout en étant détendue.

— Décrivez-moi votre visage.

— J'ai un port de tête droit, je regarde devant moi, un léger sourire naturel aux lèvres. Je suis cool et sûr de moi à la fois.

– Bon. Maintenant, imaginez comment les femmes vous voient.

– Oui, c'est clair, j'ai... comment dire?... un certain impact...

– Que pensent-elles de la circonférence de vos biceps ou de vos pectoraux?

– Euh... c'est pas vraiment ce qu'elles regardent.

– Vous pouvez rouvrir les yeux. Ce qui plaît aux femmes, c'est ce qui émane de votre personne, c'est tout. Et cela découle directement de l'image que vous vous faites de vous-même. Quand on croit quelque chose sur soi, que ce soit en positif ou en négatif, on se comporte d'une manière qui reflète cette chose. On la démontre aux autres en permanence, et même si c'était à l'origine une création de l'esprit, cela devient la réalité pour les autres, puis pour soi.

– C'est possible. Cela me parle, quelque part, même si ça reste encore un peu abstrait.

– Cela va progressivement devenir de plus en plus clair. Je me propose de vous faire découvrir, à travers différents exemples, que pratiquement tout ce que vous vivez a pour origine ce que vous croyez.

Je commençais à me demander où j'avais mis les pieds. J'étais alors loin de me douter que notre conversation et les échanges qui suivraient allaient bouleverser durablement toute mon existence.

– Imaginez, reprit-il, que vous soyez convaincu d'être quelqu'un de peu intéressant, qui ennuie les autres quand il parle.

– Je préférais le jeu précédent...

– Cela ne durera que deux minutes. Imaginez, c'est pour vous une évidence : les gens s'ennuient en votre compagnie. Essayez vraiment de ressentir ce que cela fait de croire ça. Vous y arrivez ?

– Oui, c'est pathétique...

– Restez dans cet état, gardez cela à l'esprit, et maintenant imaginez que vous déjeunez avec des collègues ou des amis. Décrivez-moi le repas.

– Mes collègues parlent beaucoup, ils racontent leurs vacances, et je ne dis pas grand-chose.

– Restez dans cet état, mais à présent vous allez faire un effort et leur raconter une anecdote qui vous est arrivée pendant vos vacances.

– Laissez-moi une seconde. J'imagine la scène... D'accord : ça n'a pas beaucoup d'effet. On ne m'écoute pas vraiment.

– C'est normal : étant convaincu de ne pas être intéressant, vous allez vous exprimer d'une manière qui rendra votre discours peu captivant.

– Oui...

– Par exemple, puisque vous avez inconsciemment peur d'ennuyer vos collègues, vous allez peut-être sans vous en rendre compte parler vite, bâcler votre intervention, pour ne pas leur prendre trop de temps et ne pas les lasser. Du coup, vous n'avez aucun impact, et votre anecdote perd de son intérêt. Vous le ressentez, et vous vous dites : « Je suis nul quand je raconte des histoires. » Par conséquent, vous devenez de plus en plus mauvais, et, immanquablement, l'un de vos collègues va reprendre la parole et embrayer sur autre chose. À la fin du repas, tout le monde aura oublié que vous avez parlé.

– C'est dur...

– Quand on est convaincu d'une chose, elle devient la réalité, notre réalité.

J'étais assez troublé par la démonstration.

– Bon, d'accord, mais pourquoi quelqu'un serait-il persuadé d'une chose pareille ?

– Ce n'est sans doute pas votre problème, mais c'est celui de certaines personnes. Chacun croit sur soi des choses qui lui sont propres. C'était juste un exemple.

» Pour rester dans ce cas de figure, imaginez que vous soyez convaincu de l'inverse : vous êtes certain d'intéresser les gens, d'avoir sur eux un impact quand vous vous exprimez. Lorsque vous prenez la parole à votre déjeuner entre collègues, vous êtes persuadé que votre anecdote va faire mouche : vous allez les faire rire, les surprendre, ou seulement captiver leur attention. Porté par cette conviction, imaginez comment vous prenez la parole : anticipant l'effet attendu, vous vous donnez le temps d'amener le sujet, d'ajuster votre voix. Vous vous autorisez quelques silences bien placés pour faire monter le suspense. Vous savez quoi? Ils seront suspendus à vos lèvres.

— D'accord, je comprends que ce que l'on croit devient ensuite la réalité, mais j'ai quand même une question.

— Oui?

— Comment se fait-il que l'on se mette à croire des choses sur soi, qu'elles soient positives ou négatives?

— Plusieurs explications sont possibles. Tout d'abord, il y a ce que les autres affirment à notre sujet. Si, pour une raison ou une autre, ces personnes sont crédibles à nos yeux, alors on peut croire ce qu'elles nous disent de nous.

— Nos parents, par exemple?

— Cela commence en général, bien sûr, par nos parents ou les personnes qui nous élèvent. Un petit enfant apprend énormément de ses parents, et, au moins jusqu'à un certain âge, il a tendance à accepter tout ce que ses parents lui disent. Cela se grave en lui. Il l'intègre.

— Vous n'auriez pas un exemple?

— Si des parents sont convaincus que leur enfant est beau et intelligent, et le lui répètent sans cesse, alors il y a des chances que l'enfant se voie ainsi et devienne très sûr de lui. Cela étant, il n'y aura pas que des effets positifs. Il sera peut-être aussi un peu arrogant...

— C'est donc la faute de mes parents si j'ai des doutes sur mon physique?

— Non, pas obligatoirement. Comme vous allez le voir, il y a quantité d'origines possibles à ce que l'on croit sur soi. Et, en ce qui concerne l'influence des autres, il n'y a pas que les parents. Par exemple, le jugement des enseignants a parfois aussi beaucoup d'impact, en positif comme en négatif.

— Ça me rappelle quelque chose : j'étais très bon en math à l'école jusqu'en cinquième. J'avais une moyenne de 18 sur 20 environ. Arrivé en quatrième, j'ai eu une prof qui répétait à chaque cours que nous étions tous nuls. Je me souviens, elle criait sans cesse, et on voyait les veines de son cou se gonfler quand elle nous engueulait. J'ai fini l'année avec 4 de moyenne.

– Vous avez probablement cru ce qu'elle disait...

– Peut-être. Mais, pour être honnête, tous mes camarades n'avaient pas 4 de moyenne comme moi...

– Sans doute étaient-ils moins sensibles que vous à l'opinion de leur professeur.

– Je ne sais pas.

– Une expérience a été menée, dans les années soixante-dix, par des chercheurs dans une université américaine. Ils ont commencé par constituer un groupe d'élèves du même âge ayant le même résultat au test du QI : ces enfants avaient donc tous un niveau d'intelligence égal, selon ce test. Ils ont ensuite séparé le groupe en deux. Ils ont confié le premier sous-groupe à un enseignant, avec cette consigne : « Faites le même programme que d'habitude, mais, pour votre information, sachez que ces enfants sont plus intelligents que la moyenne. » L'enseignant à qui l'on a confié le second sous-groupe s'est entendu dire : « Faites le même programme que d'habitude, mais, pour votre information, sachez que ces enfants sont moins intelligents que la moyenne. » Au bout d'un an de cours, les chercheurs ont refait passer le test du QI à tous les enfants. Ceux du premier sous-groupe avaient en moyenne un QI nettement supérieur à celui des enfants du second.

– C'est dingue.

– C'est, en effet, assez impressionnant.

– C'est incroyable ! Il suffit que l'on amène un prof à croire que ses élèves sont intelligents pour qu'il les rende intelligents ; s'il est convaincu qu'ils sont bêtes, il les rend bêtes ?!

– C'est une expérience scientifique.

– Cela étant, ils sont malades de faire des expériences comme ça avec des enfants.

– C'est en effet assez discutable...

– Mais, au fait, comment est-ce possible ? Je veux dire, comment le fait de croire que ses élèves sont idiots peut-il amener un enseignant à les rendre ainsi ?

– Il y a deux explications possibles : d'abord, quand vous vous adressez à quelqu'un de stupide, comment vous exprimez-vous ?

– Avec des mots hyper simples, en faisant des phrases très courtes, en n'exprimant que des idées faciles à comprendre.

– Voilà. Et si l'on s'adresse ainsi à des enfants dont le cerveau a besoin d'être stimulé pour se développer, ils vont stagner au lieu d'évoluer. C'est la première explication. Il y en a une autre, plus pernicieuse.

– Oui ?...

– Si vous devez vous occuper d'un enfant que vous croyez stupide, alors tout en vous lui insinue en permanence qu'il est stupide : non seulement votre vocabulaire, comme on vient de le dire, mais aussi votre façon de parler, vos mimiques, votre regard. Vous êtes un peu navré pour lui, ou, au contraire, un peu agacé, et cela ne lui échappe pas : il se sent stupide en votre présence. Et si vous êtes quelqu'un qui compte pour lui, que votre position, votre âge, votre rôle font que vous êtes crédible à ses yeux, alors il y a de fortes chances qu'il ne remette pas en question ce sentiment. Il va donc commencer à croire qu'il est stupide. Vous connaissez la suite.

– C'est effrayant.

– C'est assez redoutable, en effet.

J'étais très troublé par ce que j'étais en train d'apprendre. Toutes ces idées restaient comme suspendues dans les airs. Nous restâmes quelques instants sans rien dire. Un léger vent m'apportait les subtiles senteurs des plantes tropicales qui poussaient librement près du campan. Au loin, un gecko laissait entendre son cri caractéristique.

– Il y a quelque chose qui m'étonne.

– Oui ?

– Je ne voudrais pas vous vexer, mais comment avez-vous accès à ce genre d'informations, je veux dire les expériences scientifiques menées aux États-Unis ?

— Vous accepterez que je garde ma part de mystère.

Je n'allais pas insister, mais j'aurais aimé savoir. J'avais vraiment du mal à envisager une connexion Internet dans le campan d'à côté. Je n'étais même pas sûr que le village soit raccordé au téléphone. Et surtout, je n'imaginais absolument pas mon guérisseur en train de se connecter à des forums scientifiques. Je le voyais plus volontiers méditer pendant des heures, en position du lotus, à l'ombre des palétuviers...

— Vous disiez qu'il existe d'autres origines à ce que l'on peut croire sur soi ?

— Oui, il y a les conclusions que l'on tire sans s'en rendre compte de certaines de nos expériences vécues.

— J'aime bien les exemples.

— Bon, un exemple un brin caricatural, pour bien illustrer : imaginez un bébé dont les parents réagissent très peu à ce qu'il fait. Il pleure ? Ses parents ne bougent pas. Il crie ? Silence radio. Il rit ? Zéro réaction. On peut supposer qu'en lui va se développer progressivement le sentiment qu'il n'a pas d'impact sur le monde environnant, qu'il ne peut rien obtenir des autres. Il ne va pas se le dire consciemment, bien sûr, surtout à son âge. C'est juste un sentiment, un ressenti, quelque chose dont il s'imprègne. Maintenant, pour simplifier à l'extrême le processus, notamment en supposant qu'il ne vive pas d'autres expériences allant dans le sens contraire, on peut imaginer qu'une fois devenu adulte, il deviendra fataliste, n'ira jamais vers les autres pour obtenir ce qu'il souhaite, ne cherchera pas à faire bouger les choses. Si un de ses amis le voit un jour dans une impasse, par exemple sur le plan professionnel, il ne pourra que constater sa passivité. Il aura beau essayer de le convaincre de réagir, d'aller frapper à des portes, de prendre sa situation en main, de contacter des gens, rien n'y fera. Cet ami va peut-être, d'ailleurs, le juger sévèrement, alors que son attitude résulte simplement de la conviction profonde, enfouie en lui, qu'il n'a pas d'impact sur le monde qui l'entoure et ne peut rien obtenir des autres. Il n'aura même pas conscience de croire cela. Pour lui, c'est ainsi, c'est la réalité, sa réalité.

— Rassurez-moi : ça n'existe pas, des parents comme ça ?!

— C'était juste un exemple. D'ailleurs, on peut imaginer l'inverse : des parents très réactifs à la moindre expression de leur enfant. S'il pleure, ils accourent, s'il fait un sourire, ils s'émerveillent, s'il rit, ils s'extasient. L'enfant développera sans doute le sentiment qu'il a un impact sur son entourage, et, en faisant là encore un énorme raccourci, on peut supposer qu'à l'âge adulte il deviendra quelqu'un de proactif, ou encore séducteur, qui sera convaincu de l'effet qu'il a sur les autres et n'hésitera jamais à aller vers eux pour obtenir ce qu'il veut. Mais il ne sera pas non plus conscient de ce qu'il croit. Pour lui, c'est juste une évidence : il produit un effet sur les gens. C'est ainsi. Il ne sait pas qu'à l'origine, une croyance s'est installée dans son esprit à la suite de ce qu'il a vécu étant enfant.

La jeune femme qui m'avait accueilli se glissa dans le campan et nous déposa du thé et des friandises, si l'on pouvait nommer ainsi cette sorte de pâte humide, sucrée et gluante, qu'il faut manger avec les doigts si l'on respecte la tradition balinaise. Un proverbe balinais dit que manger en utilisant des couverts, c'est comme faire l'amour via un interprète. On est censé prendre la nourriture dans sa main, puis la faire glisser dans la bouche en la repoussant avec le pouce. Cela exige un petit entraînement, si l'on ne veut pas se retrouver dans le même état qu'un bébé sans son bavoir.

– Donc, on se met à croire des choses sur soi à partir de ce que d'autres nous disent ou de ce que l'on déduit inconsciemment de certaines expériences qu'on a vécues. C'est ça?

– Oui.

– Et seulement pendant l'enfance?

– Non, disons que c'est surtout pendant l'enfance que se forgent la plupart des croyances que l'on a sur soi, mais on peut aussi en développer plus tard, même à l'âge adulte. Mais, dans ce cas, elles seront en général issues d'expériences très fortes sur le plan émotionnel.

– Par exemple?

– Imaginez que, la première fois que vous prenez la parole en public, vous vous ramassiez lamentablement. Vous bafouillez, cherchez vos mots, votre voix reste coincée au fond de votre gorge, et votre bouche est sèche comme si vous étiez resté trois jours sans boire en plein désert. Dans la salle, on entend les mouches voler. Vous voyez que les gens ont pitié de vous. Certains arborent un petit sourire moqueur. Vous donneriez toutes vos économies, et même vos revenus de l'année à venir, pour être ailleurs et ne pas vivre ça. Vous avez honte, rien que d'y repenser. Dans ce cas, il se peut que vous vous mettiez à croire que vous n'êtes pas fait pour parler en public. En réalité, vous avez seulement échoué une fois, ce jour-là, auprès de ce public-là, en prenant la parole sur ce thème-là. Mais votre cerveau a généralisé l'expérience en en tirant une conclusion définitive.

J'avais fini mes friandises, et mes doigts étaient maintenant tout collants. J'hésitais entre les sucer ou les essuyer sur la natte. Ne pouvant me décider, je restais les doigts en l'air. J'étais probablement en train de développer la croyance que je n'étais pas fait pour manger balinais.

— Quand vous reviendrez demain, nous découvrirons ensemble d'autres croyances qui vous empêchent d'être heureux, me dit-il gentiment.

— Je ne savais pas que je revenais demain.

— Vous ne me ferez pas croire que vos problèmes se limitent à vos doutes concernant votre apparence physique. Vous en avez certainement de beaucoup plus sérieux, et nous les aborderons ensemble.

— Vous êtes dur.

— Ce n'est pas en disant aux gens ce qu'ils ont envie d'entendre qu'on les aide à évoluer, répondit-il en souriant.

— Vous savez, je croyais que vous étiez guérisseur, que vous vous occupiez uniquement des maladies et des douleurs.

– En Occident, vous avez l'habitude de séparer le corps et l'esprit. Ici, nous pensons que les deux sont intimement liés et forment un tout cohérent. Nous aurons peut-être l'occasion d'en reparler.

– Juste une dernière question. Je suis plus à l'aise quand ces choses-là sont claires, même si ça me gêne d'en parler : je vous devrai combien pour votre aide, pour le temps que vous me consacrez ?

Il me regarda attentivement, puis me dit :

– Je sais que votre métier vous amène aussi à transmettre des choses aux autres. Il me suffit que vous vous engagiez à ne pas garder pour vous ce que vous aurez découvert.

– Vous avez ma parole.

Au moment de partir, je glissai quand même un billet dans la petite boîte sur l'étagère.

– C'est pour votre intervention sur mes orteils.

5

La route qui rejoint Ubud est particulièrement belle. Je ne l'avais pas réalisé à l'aller, préoccupé que j'étais par le souci de trouver mon chemin. Très sinueuse, elle traverse par endroits de petits champs bordés de bananiers sauvages, entrecoupés çà et là par un ruisseau. Cette région vallonnée du centre de l'île est en permanence soumise à des alternances de soleil et de pluie, une pluie chaude qui exalte les odeurs de la nature. Ce climat est propice à l'explosion d'une végétation tropicale luxuriante.

Au détour d'un virage, je vis trois Balinais au bord d'un champ, à quelques mètres de la route. Ils devaient avoir entre vingt et trente ans, le corps svelte, et... entièrement nus. J'étais très surpris de leur apparition inattendue. Je n'avais d'ailleurs pas connaissance d'une absence de pudeur dans la culture balinaise. Venaient-ils de se baigner après

une journée de labeur dans les champs? Ils se dépla-
çaient sereinement, marchant côte à côte. Nos
regards se croisèrent lorsque j'arrivai à leur hauteur.
Je n'ai pas réussi à interpréter l'expression bizarre
que j'y ai lue. Étaient-ils confus de me croiser sur
cette route peu fréquentée? Avaient-ils perçu ma
surprise devant leur nudité?

Ma route continuait et, à l'approche d'Ubud,
traversait des petits villages. L'habitat révélait une
certaine pauvreté, et pourtant les rues étaient toujours soignées, propres et très fleuries. Devant
chaque porte, on voyait en permanence, déposées
sur le sol, des offrandes constituées de fleurs ou
de quelques mets recueillis sur des fragments de
feuilles de bananiers entrelacés. Ces offrandes
étaient régulièrement renouvelées tout au long de la
journée.

Les Balinais vivent dans le sacré. Leur religion ne
repose pas sur une pratique codifiée à heure fixe, ou
certains jours de la semaine. Non, eux sont en
contact direct avec les dieux. Ils semblent imbibés
de leur foi, habités par elle en permanence. Toujours calmes, doux, souriants, ils sont sans doute,
avec les Mauriciens, le peuple le plus gentil de la
terre. D'humeur constante, on a l'impression que
rien ne peut les déstabiliser. Ils accueillent avec la
même sérénité tout ce qui leur arrive.

Bali fait immanquablement songer au paradis à tous ses visiteurs, et ceux-ci seraient sans doute surpris d'apprendre que ce mot n'existe pas en balinais. Le paradis est l'élément naturel des Balinais, et ils n'ont pas plus de mot pour le désigner que les poissons ne doivent en avoir pour désigner l'eau qui les entoure.

Je repensais à ma rencontre avec le guérisseur, et je me sentais encore envoûté par notre échange. Cet homme avait une aura particulière, une énergie qui émanait naturellement de sa personne. J'étais assez excité par ce qu'il m'avait fait découvrir, même si ses propos m'avaient parfois décontenancé. Et je n'avais jamais imaginé que je me retrouverais un jour à l'autre bout du monde, écoutant un vieux sage balinais me commenter les seins et les fesses de Nicole Kidman.

À la sortie d'Ubud, je bifurquai vers l'est pour rentrer chez moi. La journée avait été riche en émotions et j'éprouvais le besoin de rester un peu seul pour laisser décanter tout ce que j'avais découvert. Il me faudrait moins d'une heure pour arriver dans ce petit village de pêcheurs de la côte est où j'avais loué un bungalow posé en bordure d'une jolie plage sauvage de sable gris. Par bonheur, les touristes préféraient les étendues de sable blanc du sud de l'île, si bien que très rares étaient ceux que je croisais sur « ma » plage. Seul un couple de Hollandais avait élu résidence un peu à l'écart. Ils n'étaient pas désagréables, et je les croisais rarement. Mon bungalow appartenait à une famille qui habitait plus loin dans les terres. Je l'avais loué pendant un mois pour une somme très acceptable pour moi, très profitable pour eux : j'aime les situations où tout le monde est gagnant. La plage restait déserte le matin, puis quelques enfants du village venaient y jouer l'après-midi. Les seuls passages étaient ceux des pêcheurs, que j'entendais parfois sortir en mer dans leurs pirogues à cinq heures du matin. Je les avais accompagnés une fois, même si, ne parlant pas balinais, il m'avait été difficile de me faire comprendre et donc d'obtenir leur accord.

Cela restait l'un de mes plus beaux souvenirs de Bali. Nous étions partis avant l'aube, et je ne m'étais guère senti rassuré à bord de cette pirogue instable, assis au ras de l'eau, ne voyant pratiquement rien dans le noir d'une nuit sans lune. Mais les pêcheurs connaissaient leur métier, et j'avais ce jour-là expérimenté ce qu'était la confiance, une confiance aveugle en l'occurrence. Le clapotis de l'eau et la fraîche brise effleurant mon visage étaient presque les seuls éléments que mes sens en éveil pouvaient capter. Trois quarts d'heure plus tard, j'avais vu le soleil apparaître lentement à l'horizon, comme un projecteur qui illuminerait une scène au ras du sol, faisant d'un seul coup exister un décor grandiose, immense, magique. Je découvrais tout à la fois la démesure de la mer, le gigantisme du ciel, et la petitesse de la pirogue qui semblait flotter par magie au-dessus d'un abîme sans fond, telle une allumette posée sur l'océan. Je découvrais aussi les sourires des pêcheurs, et m'étais soudain senti heureux sans savoir pourquoi.

Sur le trajet du retour, nous avions vu quelques dauphins à proximité de la pirogue, et j'avais manifesté le désir de plonger à leur côté, avec le réflexe idiot de l'Occidental qui a visité trop de parcs d'attractions. Les Balinais m'en avaient empêché, me faisant comprendre tant bien que mal que des dauphins nageant en surface pouvaient être suivis en profondeur par des requins à la poursuite du même banc de poissons. L'argument avait suffi à me convaincre, et je m'étais contenté d'admirer visuellement ces beautés de la nature, libres de leurs mouvements, libres de leurs destinations, libres de leurs vies.

Je m'arrêtai sur la route pour manger un nasigoreng dans une échoppe, plat typique à base de riz, comme pratiquement tous les plats balinais. Au bout de quatre semaines, la seule vision du riz suffisait presque à me faire perdre l'appétit. J'arrivai à mon bungalow à la tombée de la nuit, moment idéal pour aller marcher sur la plage sans croiser âme qui vive. Je me mis pieds nus et m'y rendis directement. Comme prévu, la plage était déserte, et je me promenai longuement au bord de l'eau, le pantalon retroussé.

Rapidement, mon esprit vagabond revint sur ma rencontre avec le guérisseur, et je repensai à tout ce qu'il m'avait fait découvrir. Ainsi, nous autres humains avions développé des croyances sur nous-mêmes en raison de l'influence de personnes de notre entourage ou de conclusions inconsciemment tirées de notre vécu. Je voulais bien l'admettre, mais, dans ce cas, jusqu'où s'étendaient ces croyances? Nous avions vu que l'on pouvait se croire beau ou laid, intelligent ou stupide, intéressant ou ennuyeux. On pouvait croire en sa capacité d'influence ou, au contraire, se croire incapable d'obtenir quoi que ce soit des autres. Dans quels autres domaines pouvait-on développer des croyances? Je comprenais que l'on puisse croire un certain nombre de choses, et que ces croyances aient ensuite un effet sur notre vie. Mais jusqu'où? Je me demandais en quoi mes propres croyances avaient influencé le cours de mon existence, et en quoi, en fonction du hasard des rencontres et de mes expériences, j'aurais pu croire d'autres choses qui auraient ensuite donné une direction différente à ma vie.

Mes interrogations avaient pour seule réponse le bruissement de l'eau sous mes pieds, qui éclaboussait le silence de la plage déserte. Les palmiers qui la bordaient étaient parfaitement immobiles; aucun vent ne soufflait dans leurs branches délicates. J'avais pris l'habitude de me baigner tous les soirs. Je quittai mon pantalon et mon tee-shirt, et me laissai glisser dans l'eau tiède de la mer. Je nageai longuement sans plus penser à rien, sous le regard bienveillant de la lune naissante.

6

Je me réveillai après un sommeil particulièrement profond et découvris que le soleil était déjà haut dans le ciel. Je pris quelques fruits en guise de petit déjeuner tardif et m'en allai pour une promenade matinale dans le petit bois qui s'étend derrière la plage. En arrivant à proximité du bungalow de Hans et Claudia, le couple de Hollandais, je reconnus leurs voix.

— Le déjeuner n'est pas encore prêt? dit Hans, assis sur un petit rocher, un livre sur les genoux.

Il avait les cheveux gris foncé, un visage peu expressif, les lèvres plutôt minces.

— Bientôt mon chéri, bientôt.

Claudia était une femme douce et gentille, la quarantaine, le visage tout en rondeurs encadré de jolies boucles blondes.

Elle faisait cuire des brochettes de poisson au-dessus d'un barbecue.

– Tu utilises trop de charbon de bois, ça sert à rien, c'est gâché.

Il disait cela sans réaliser que c'était un reproche. Pour lui, c'était un fait, c'est tout.

– Mais sinon, ça cuit trop lentement, se justifiait-elle.

La dernière fois que je les avais croisés, Claudia nettoyait le bungalow pendant que Hans lisait son fichu livre. Je me demandais ce qui pouvait amener une femme à accepter d'endosser le rôle de la ménagère au XXIe siècle. Hans n'était pas un macho au sens où on l'imagine. Pour lui, c'était probablement juste « normal » que sa femme s'occupe de cela. La question n'avait sans doute même pas été débattue entre eux. C'était ainsi.

– Tiens, Julian, quel plaisir de te voir ! me dit-elle en m'apercevant.

– Bonjour, Julian, dit Hans.

– Bonjour.

– Voudrais-tu partager un poisson avec nous ? proposa-t-elle.

Hans haussa imperceptiblement un sourcil.

– Non, merci, je viens de prendre mon petit déjeuner...

— Tu viens seulement de te lever ? demanda Hans. Nous, on a déjà fait deux visites, ce matin : le temple de Tanah Lot et le musée Subak, à Tabanan.

— C'est bien, félicitations.

Il ne saisit même pas l'ironie de ma réponse. Hans était de ces gens qui écoutent les mots, mais ne décodent ni le ton de la voix, ni les expressions du visage de celui qui les prononce.

— Tu visites peu de choses, j'ai l'impression. Cela ne t'intéresse pas ?

— Si, mais j'aime surtout ressentir les ambiances, me promener dans les villages, tenter de discuter avec les gens, essayer de me mettre à leur place et de sentir ce que ça fait. Comprendre leur culture, quoi.

— Julian aime découvrir la culture de l'intérieur ; toi, chéri, tu préfères comprendre la culture dans les livres, dit Claudia.

— Oui, c'est plus rapide, on gagne du temps, renchérit Hans.

J'acquiesçai. À quoi bon argumenter ? À chacun sa façon de voir les choses.

— Est-ce que ça te ferait plaisir de nous accompagner ce soir ? demanda Claudia. Nous allons assister à un concert de Gamelans à Ubud, puis, à la tombée de la nuit, nous irons observer les tortues sur la plage de Pemuteran. C'est l'époque où leurs œufs éclosent. Cela dure une ou deux nuits, tout au plus. Après, il sera trop tard.

La perspective d'une soirée avec Hans ne m'excitait pas au-delà du raisonnable, mais j'avais très envie de voir les bébés tortues. Et je sentais que cela ferait particulièrement plaisir à Claudia que j'accepte.

— D'accord, c'est gentil de me le proposer. Je serai déjà dans le coin d'Ubud cet après-midi, alors je vous rejoindrai sur place. Donnez-moi l'adresse.

— C'est à la salle des cérémonies, tu sais, à côté du grand marché. À dix-neuf heures, dit Claudia.

— Tu vas visiter les galeries ? demanda Hans.

Ubud était le village des artistes, et on y trouvait des galeries d'art à profusion.

— Non, je rends visite à... comment dire ?... une sorte de maître spirituel.

— Ah bon, pour quoi faire ?

Je savais que sa question était sincère. Hans était du genre à vous demander pourquoi vous alliez au cinéma, à l'église ou au cimetière, ou encore pourquoi vous ne portiez plus un pantalon archidémodé mais toujours en bon état. Tout ce qui ne relevait pas d'une démarche rationnelle (selon lui) était une bizarrerie de la nature.

— Il m'amène à prendre conscience de certaines

choses. Et, d'une certaine manière, il m'aide aussi à me retrouver, quoi.

– À te retrouver ?

Il avait un ton à la fois amusé et interloqué.

– Oui, en quelque sorte.

– Mais, si tu es perdu, qu'est-ce qui te prouve que tu vas te retrouver à Ubud plutôt qu'à New York ou Amsterdam ?

Très drôle. Il y a vraiment des gens qui sont complètement hermétiques à la dimension spirituelle de la vie.

– Je ne suis pas perdu. Si tu ouvres un dictionnaire – au passage, sa lecture devrait te plaire, tu pourras en supporter le niveau émotionnel –, tu verras qu'il y a plusieurs sens au verbe « se retrouver ». En l'occurrence, cela signifie aussi : mieux se connaître pour avoir une vie plus en harmonie avec qui l'on est.

– Ne te fâche pas, Julian.

– Je ne me fâche pas, mentis-je.

– Chéri, laisse un peu Julian tranquille, dit Claudia. Au fait, Julian, est-ce que tu plonges toujours ?

– Oui, presque tous les jours.

– Nous aussi, on a plongé le premier jour, dit Hans. On a eu de la chance : il faisait beau et l'eau était claire. En une heure, on a vu l'essentiel de ce qu'il y avait à voir.

— Moi, j'y retourne souvent ; j'ai beaucoup de plaisir à nager au milieu des poissons, à les approcher. Ils sont tellement peu farouches que l'on peut presque les toucher.

Je m'attendais à ce qu'il me demande pour quoi faire.

— L'homme descend du poisson. Julian se reconnecte avec ses origines retrouvées.

— Et toi, tu t'apprêtes à manger l'un des descendants de tes ancêtres grillé au barbecue. C'est du joli. Bon, d'ailleurs, je vous laisse à votre déjeuner. Bon appétit, à ce soir.

— Bonne recherche. Et surtout, ne perds pas espoir : il te restera encore le bureau des objets trouvés à Djakarta !

— À ce soir, dit Claudia.

Je repris ma balade tout en pensant à Hans. Je me demandais quel pouvait être son « problème ». Il était un peu bizarre, quand même. Je sentais qu'il n'était pas méchant, qu'il ne voulait pas me blesser. Il était juste hermétique à certaines choses.

Je regagnai mon bungalow, me préparai en hâte, puis sautai dans ma voiture. L'itinéraire me sembla plus simple, cette fois-ci, et j'arrivai devant la maison de maître Samtyang en milieu d'après-midi.

7

La même jeune femme m'accueillit agréable-
ment et me conduisit directement dans le campan
où j'avais été reçu la veille. J'eus, cette fois-
ci, le loisir d'observer plus tranquillement le
lieu. C'était à la fois sobre et beau. Beaucoup
de sérénité, de paix, d'harmonie se dégageaient
de cet endroit que je commençais à vraiment
aimer. Je sentais qu'un tel lieu permettait de
lâcher prise sur quantité de choses. Ici, on laissait
bon nombre de ses préoccupations à l'entrée. Le
temps était suspendu. J'avais l'impression que
j'aurais pu y rester des années sans prendre une
seule ride.

Je ne le vis pas venir. Je me retournai, et il était
derrière moi. Nous nous saluâmes, et il m'informa
qu'à cette heure-ci, il ne pourrait m'accorder beaucoup de temps. Dommage.

– Alors, vous êtes allé au vidéoclub de Kuta ? me demanda-t-il.

– Euh... non, avouai-je un peu piteusement.

Il me dit, mais sans la moindre trace de reproche ni d'autorité :

– Si vraiment vous souhaitez que je vous accompagne dans la voie qui vous fera avancer dans votre vie, il est nécessaire que vous fassiez ce que je vous demande, dans la mesure où vous ne l'avez pas refusé. Si vous vous contentez de vous en remettre à moi et de m'écouter, il ne se passera pas grand-chose. Êtes-vous prêt à vous engager en ce sens ?

– D'accord.

Avais-je vraiment le choix, puisque je souhaitais continuer notre relation ?

– Dites-moi : pourquoi n'êtes-vous pas allé à Kuta ?

– Euh... en fait, j'étais un peu fatigué hier soir, et j'avais besoin de me reposer.

Sur un ton bienveillant, il me dit :

– Si vous mentez aux autres, au moins ne vous mentez pas à vous-même.

– Pardon ?

J'étais désarçonné.

– De quoi aviez-vous peur ?

Sa voix dégageait beaucoup de douceur, et ses yeux plongeaient dans les miens. Au plus profond de moi-même. Et pourtant, je ne ressentais aucune intrusion. C'était juste que je me sentais vu. Cet homme lisait en moi comme dans un livre ouvert.

— ?...

— Qu'est-ce que vous auriez pu perdre, en y allant ?

Comment faisait-il pour poser LA question, pour toucher délicatement du doigt précisément là où il fallait ?

Après un certain silence, je m'entendis répondre :

— Je crois que j'avais envie de conserver intacte mon admiration pour mon actrice préférée.

— Vous aviez peur de perdre vos illusions.

C'était bizarre, mais c'était vrai. D'autant plus bizarre que, la veille, je m'étais bien douté qu'il avait raison la concernant. Alors, pourquoi refuser la vérité ?

— Peut-être, dis-je.

— C'est normal. Les êtres humains sont très attachés à tout ce qu'ils croient. Ils ne cherchent pas la vérité, ils veulent seulement une certaine forme d'équilibre, et ils arrivent à se bâtir un monde à peu près cohérent sur la base de leurs croyances. Cela les rassure, et ils s'y accrochent inconsciemment.

— Mais pourquoi ne se rend-on pas compte que ce que l'on croit n'est pas la réalité ?

– Rappelez-vous que ce que l'on croit devient notre réalité.

– Je ne suis pas sûr de vous suivre complètement, vous savez, c'est peut-être un peu trop philosophique pour moi. Et puis, j'ai beau être un rêveur, je suis quand même rationnel. Pour moi, la réalité, c'est la réalité.

– C'est très simple, en fait. Si je vous demandais de fermer les yeux, de vous boucher les oreilles, puis de me décrire précisément la réalité qui se trouve autour de vous, vous ne pourriez pas tout décrire. C'est normal : cela comprend des milliards d'informations, et vous ne les avez pas toutes captées. Vous avez seulement perçu une partie de la réalité.

– C'est-à-dire ?

– Par exemple, sur le plan visuel, quantité d'informations concernent le lieu, la disposition des murs et des piliers des différents campans visibles, les arbres, arbustes et plantes pourvus de milliers de feuilles qui s'agitent d'une certaine manière au gré du vent léger. S'ajoutent à cela des meubles, des objets, des dessins. Chacune de ces choses est constituée de différents matériaux. Les matières ne sont pas uniformes, les couleurs ne sont pas homogènes. Il y a aussi une foultitude d'informations concernant la lumière ambiante, les ombres, le ciel, les nuages qui se déplacent, le soleil. À lui seul, mon corps vous envoie des milliers d'informations relatives à ma posture, mes mouvements, mon regard, les expressions de mon visage qui changent d'une seconde à l'autre. Et tout cela ne concerne que les informations visuelles !

» À cela il faut ajouter les informations auditives : les bruits divers et variés, proches ou lointains, les multiples inflexions de ma voix, son volume, sa tonalité, le rythme de mes paroles, le bruit émis par les frottements de nos vêtements lorsque nous bougeons, les insectes qui volent, les oiseaux au loin, le bruit du vent dans les feuilles, etc.

» Mais ce n'est pas tout : vous êtes également submergé d'informations olfactives et relatives au toucher : la température de l'air, son humidité, les senteurs des différentes plantes qui nous entourent, lesquelles senteurs changent en fonction des courants d'air, le ressenti des multiples points de contact de votre corps sur le sol, la...

– Ok, ok, vous m'avez convaincu, l'interrompis-je. Je le reconnais, je n'aurais pas été capable de transmettre toutes ces informations, les yeux fermés et les oreilles bouchées. C'est vrai.

– Et cela pour une raison très simple : vous n'êtes pas conscient de toutes ces informations. Il y en a trop, et votre esprit fait inconsciemment un tri. Vous en captez certaines, pas les autres.

– Oui, sans doute.

– Ce qui est vraiment intéressant, c'est que ce tri n'est pas le même pour vous et pour moi. Si l'on demandait à plusieurs personnes de faire cet exercice et de lister ce qu'elles ont observé de leur environnement, nous n'aurions pas deux listes d'informations identiques. Chacun ferait un tri particulier.

– D'accord...

– Et ce tri n'est pas dû au hasard.

– Comment ça?

– Ce tri est propre à chacun, et dépend notamment de ses croyances, de ce qu'il croit sur le monde en général, bref, de sa vision de la vie.

– Oui?...

– Nos croyances vont nous amener à filtrer la réalité, c'est-à-dire à filtrer ce que l'on voit, entend et ressent.

– Cela reste un peu abstrait pour moi.

– Je vais vous donner un exemple, un exemple un peu caricatural pour simplifier.

– Ok.

– Imaginons que vous soyez inconsciemment convaincu que le monde est dangereux, et qu'il faut s'en méfier, se protéger. Ce serait votre croyance, d'accord?

– D'accord.

– Si cette croyance est inscrite en vous, alors, d'après vous, sur quoi va se porter votre attention à l'instant présent ? Quelles informations allez-vous donc capter si vous croyez, au fond de vous, que le monde est dangereux ?

– Eh bien... voyons... je sais pas, j'imagine que je commencerais par me méfier un peu de vous, puisque, après tout, je ne vous connais pas ! Je crois que j'observerais surtout votre visage pour essayer de lire vos pensées, de comprendre ce qu'il y a peut-être derrière vos paroles gentilles. Et je tenterais aussi de repérer d'éventuelles incohérences dans votre discours, pour savoir si vous êtes fiable ou pas. Et puis, je garderais un œil sur la porte du jardin pour m'assurer qu'elle reste ouverte et que je pourrais partir facilement s'il y avait un problème. Voilà, quoi d'autre... voyons... peut-être ferais-je aussi attention à cette poutre qui a l'air de tenir par l'opération du Saint-Esprit et qui pourrait me tomber dessus. Et je garderais un œil sur le gecko que j'entends se balader entre les poutres, car j'aurais peur qu'il descende me mordre. Je me méfierais de ce genre de reptiles. Je remarquerais aussi que la natte est usée, et que je pourrais attraper des échardes si je ne prenais pas garde.

– C'est cela. Votre attention serait captée par les risques potentiels qui existent dans toute situation. Et si l'on vous demandait, yeux fermés, de décrire la situation, ce sont notamment ces éléments qui vous viendraient à l'esprit.

– Sans doute, en effet.

– Maintenant, imaginez que vous ayez une croyance opposée, à savoir que le monde est amical, que les gens sont gentils, honnêtes et fiables, et que la vie offre quantité de plaisirs bons à prendre. Faites comme si cette conviction était profondément enfouie en vous. Sur quoi se porterait votre attention, en ce moment, et que pourriez-vous décrire, les yeux fermés et les oreilles bouchées?

– Je crois que je parlerais des plantes, qui sont vraiment très belles, de ce petit vent agréable qui rend la chaleur supportable. Je crois que je parlerais aussi du gecko, car je me serais dit : « Cool, il y a un gecko sous la toiture, au moins, il ne doit pas rester d'insectes rampants dans les parages! » Et puis, je décrirais le visage serein de cet homme sympathique qui me fait découvrir des tas de choses intéressantes sans même me faire payer!

– Exactement! Ce que l'on croit de la réalité, du monde environnant, agit comme un filtre, comme une paire de lunettes sélective qui nous amène à surtout voir les détails allant dans le sens de ce que nous croyons... Si bien que cela renforce nos croyances. La boucle est bouclée.

» Si l'on croit que le monde est dangereux, on va effectivement porter son attention sur tous les dangers réels ou potentiels, et on aura de plus en plus le sentiment de vivre dans un monde dangereux.

— C'est logique, finalement.

— Mais cela ne s'arrête pas là. Nos croyances vont aussi nous permettre d'*interpréter* la réalité.

— Interpréter ?

— Vous évoquiez, tout à l'heure, les expressions de mon visage. Ces expressions, tout comme ma gestuelle d'ailleurs, peuvent être interprétées de différentes manières. Vos croyances vont vous aider à trouver une interprétation : un sourire sera perçu comme un signe d'amitié, de gentillesse, de séduction, ou d'ironie, de moquerie, de condescendance. Un regard insistant, comme un signe marqué d'intérêt ou, à l'inverse, comme une menace, une volonté de déstabilisation. Et chacun sera convaincu de son interprétation. Ce que vous croyez sur le monde vous conduit à donner un sens à tout ce qui est ambigu ou incertain... Et cela renforce vos croyances. Une fois de plus.

— Je commence à comprendre pourquoi vous disiez que ce que l'on croit devient notre réalité.

– Oui, surtout que cela ne s'arrête pas là.

– C'est infernal, votre truc !

– Quand vous croyez une chose, elle vous amène à adopter certains comportements, lesquels vont avoir un effet sur le comportement des autres dans un sens qui va, là encore, renforcer ce que vous croyez.

– Hou là, ça se corse.

– C'est simple. Restons dans le même cas de figure : vous êtes convaincu que le monde est dangereux, qu'il faut se méfier. Comment allez-vous vous comporter quand vous rencontrerez des gens nouveaux ?

– Je vais rester sur mes gardes.

– Oui, et votre visage sera vraisemblablement assez fermé, pas très engageant.

– Certes.

– Mais ces personnes qui vous rencontrent pour la première fois vont le percevoir, le sentir. Comment vont-elles elles-mêmes se comporter vis-à-vis de vous ?

– Il y a, en effet, des chances pour qu'elles restent sur leurs gardes et ne s'ouvrent guère à moi.

– Exactement ! Sauf que, vous, vous allez le voir ; vous allez sentir qu'elles sont fermées, un peu bizarres avec vous. Devinez comment vous allez l'interpréter, sous l'emprise de vos croyances.

– Je vais évidemment me dire que j'ai raison de me méfier.

– Vos croyances se renforceront.

– C'est terrible.

– Dans ce cas, oui. Mais cela marche aussi dans l'exemple inverse : si vous êtes, au fond de vous, convaincu que tout le monde est sympathique, vous allez vous comporter de manière très ouverte avec les gens, vous allez sourire, vous montrer détendu. Et, bien sûr, cela va les conduire à s'ouvrir eux-mêmes, à se détendre en votre présence. Vous aurez inconsciemment la preuve que le monde est bien sympathique. Votre croyance se renforcera. Mais il faut comprendre que tout ce processus est inconscient. C'est en cela qu'il est puissant. À aucun moment, vous ne vous direz consciemment : « C'est bien ce que je croyais, les gens sont sympathiques. » Non. Vous n'aurez pas besoin de vous le dire, parce que, pour vous, c'est normal. C'est ainsi, les gens sont sympathiques, c'est une évidence. De la même manière, ceux qui croient qu'il faut à tout prix se méfier des autres trouvent naturel de rencontrer des gens fermés, désagréables, même s'ils le déplorent par ailleurs.

– C'est dingue. Finalement, sans s'en rendre compte, chacun se crée vraiment sa propre réalité, qui n'est, en fait, que le fruit de ses croyances. C'est vraiment dingue. Hallucinant !

– Ce dernier mot est bien choisi...

Je devinais chez lui une certaine satisfaction. Il devait percevoir que je commençais à comprendre la force et l'étendue de cette théorie. Il est vrai que j'étais bluffé. J'avais le sentiment que les êtres humains étaient victimes de leurs propres idées, de leurs propres convictions, de leurs propres « croyances », pour reprendre son terme. Le plus terrible, peut-être, était qu'ils ne s'en rendaient pas compte. Et pour cause : ils ne se rendaient même pas compte qu'ils croyaient ce qu'ils croyaient. Leurs croyances n'étaient pas consciemment dans leur esprit. J'avais envie de le crier à la terre entière, d'expliquer aux gens qu'il fallait arrêter de croire n'importe quoi, je voulais leur dire qu'ils se pourrissaient la vie à cause de choses qui n'étaient même pas la réalité. Je me voyais parcourir la planète au volant de l'une de ces camionnettes qui servent à faire la promotion des cirques en tournée ; je crierais dans le haut-parleur qui diffuserait ma voix amplifiée de village en village : « Mesdames et messieurs, il faut absolument arrêter de croire ce que vous croyez. Vous vous faites souffrir, croyez-moi. » Il ne faudrait pas trois jours pour que les hommes en blanc viennent me chercher et me passent une camisole. Mon cirque à moi aurait alors des portes capitonnées.

– Bon, une chose quand même : ces croyances que l'on a, elles concernent quels domaines ? Elles s'étendent où ?

– Nous avons tous développé des croyances sur nous, sur les autres, sur nos relations aux autres, sur le monde qui nous entoure, sur à peu près tout, depuis notre capacité de réussir nos études jusqu'à l'éducation de nos enfants, en passant par notre évolution professionnelle et nos relations conjugales. Chacun de nous porte en lui une constellation de croyances. Elles sont innombrables et dirigent notre vie.

– Et certaines sont positives, d'autres négatives, c'est ça ?

– Non, pas tout à fait. On ne peut pas juger nos croyances. La seule chose que l'on puisse affirmer est qu'elles ne sont pas la réalité. Ce qui est plus intéressant, en revanche, c'est de comprendre leurs effets. Chaque croyance a tendance à produire à la fois des effets positifs et des effets limitants. Maintenant, je reconnais que certaines croyances induisent davantage d'effets positifs que d'autres.

– Oui, il me semble qu'on a plutôt intérêt à croire que le monde est amical, non ? D'ailleurs, je ne vois pas en quoi la croyance que le monde est dangereux peut avoir des effets positifs.

— Si, elle en a quand même. Une telle croyance vous amènerait, bien sûr, à vous protéger excessivement, vous vous gâcheriez sans doute un peu la vie, mais le fait est que, si un jour vous rencontriez un danger réel, vous seriez peut-être plus protégé que celui qui croit que tout va pour le mieux dans le meilleur des mondes.

— Ouais...

— C'est pour cela qu'il est pertinent de prendre conscience de ce que l'on croit, puis de réaliser que ce ne sont que des croyances, et enfin de découvrir leurs effets sur notre vie. Cela peut nous aider à comprendre bien des choses que nous vivons...

— À ce propos, hier, vous m'avez dit que l'on aborderait ce qui m'empêche d'être heureux.

— Oui, mais je vais d'abord vous faire travailler seul : j'ai deux missions à vous confier, que vous réaliserez après notre séance, en attendant que l'on se revoie.

— D'accord.

— La première consiste à rêver tout en restant éveillé.

— Ça, je crois que je saurai faire.

— Alors vous rêverez que vous êtes dans un monde où tout est possible. Imaginez qu'il n'y a aucune limite à ce que vous êtes capable de réaliser. Faites comme si vous aviez tous les diplômes du monde, toutes les qualités qui existent, une intelligence parfaite, un sens relationnel développé, un physique de rêve... tout ce que vous voulez. Tout vous est possible.

— Je sens que je vais bien aimer ce rêve.

— Ensuite, vous imaginerez à quoi ressemble votre vie dans ce cadre : ce que vous faites, votre métier, vos loisirs, comment votre vie se déroule. Gardez en permanence à l'esprit que tout est possible. Puis vous noterez cela et vous me l'apporterez.

— Très bien.

— Votre deuxième mission consiste en quelques recherches à mener.

— Des recherches ?

— Oui, je voudrais que vous rassembliez les résultats de recherches scientifiques qui ont été menées, aux États-Unis, sur les effets des placebos. Nous en parlerons ensuite ensemble.

— Mais où vais-je trouver ça ?

— Aux États-Unis, tous les laboratoires pharmaceutiques mènent de telles recherches car ils y sont obligés ; ils n'ont pas le droit de mettre sur le marché un nouveau médicament sans avoir prouvé scientifiquement qu'il est plus efficace qu'un placebo, c'est-à-dire une substance inactive. Cela fournit indirectement des chiffres précis sur l'efficacité... des placebos. Personne n'utilise ces chiffres. Moi, je les trouve pourtant dignes d'intérêt. Je sais que des laboratoires ont publié certains résultats. Vous les trouverez.

— Vous les connaissez ?

— Bien sûr.

— Mais, dans ce cas, pourquoi me demandez-vous de les rechercher ? Nous gagnerions beaucoup de temps en en parlant tout de suite. Vous savez, je prends l'avion samedi pour rentrer chez moi ; ça nous laisse peu d'occasions de nous rencontrer...

— Parce que ce n'est pas du tout la même chose d'écouter quelqu'un vous relayer une information et de la rechercher soi-même à la source.

— Excusez-moi, mais je ne vois pas ce que ça change.

— Si je vous en parle, vous pourrez toujours douter des chiffres que je vous donnerai. Et, vous connaissant un peu, je sais que c'est ce que vous ne manquerez pas de faire ! Peut-être pas sur le moment, mais plus tard... Par ailleurs, ce n'est pas en écoutant quelqu'un parler que l'on évolue. C'est en agissant et en vivant des expériences.

— Mais où est-ce que je vais pouvoir collecter ces informations ? Je ne réside pas à l'hôtel. Je n'ai aucun moyen d'accéder à Internet, et je n'ai jamais vu de cybercafé dans l'île.

— Celui qui se laisse arrêter par la première difficulté rencontrée ne va pas loin dans sa vie. Allez. Je vous fais confiance.

— Une dernière chose : à quelle heure dois-je venir demain pour que vous soyez pleinement disponible, que vous ayez du temps ?

Il me regarda quelques instants en souriant. Je me demandai si j'avais encore dit ce qu'il ne fallait pas. Aujourd'hui, je les accumulais.

— Surtout, ne vous mettez pas à croire que vous avez besoin de moi. Le temps que je pourrai vous consacrer à l'heure où vous viendrez sera suffisant.

8

En rejoignant ma voiture, je me demandais comment cet homme pouvait rester aussi calme, serein, avec un regard si bienveillant, tout en disant parfois des choses qui n'allaient absolument pas dans le sens de ce que j'avais envie d'entendre.

C'était vraiment un être inattendu, pas comme les autres. Et je continuais d'être étonné par sa connaissance des informations occidentales, qui contrastait avec son personnage. J'aurais facilement juré qu'il n'avait jamais quitté son village, et j'avais du mal à concevoir que ce vieillard de l'autre bout du monde ait puisé sa sagesse dans des recherches occidentales. Bizarre.

Je commençais à connaître la route, et je fus à Ubud en peu de temps. Le soleil se couchait tôt sous les tropiques, et il faisait déjà nuit quand je me garai près du grand marché. Des senteurs d'encens se dégageaient de la terrasse-jardin d'un petit restaurant. Les Balinais utilisent souvent l'encens pour repousser les moustiques. On en voyait des tiges se consumer sur des coupelles disposées dans les jardins ou à l'entrée des maisons. Cela contribuait à l'ambiance envoûtante de la nuit à Ubud.

Je me glissai dans le restaurant, m'installai sous un arbre, et commandai un poisson grillé. Des bougies étaient disposées sur les tables du jardin, complétées par quelques torches plantées dans l'herbe, qui brûlaient lentement en diffusant une lumière douce et chaude. Quelques éclats de voix jaillissaient çà et là en provenance de la rue, sans doute des Balinais hélant quelques passants étrangers pour leur proposer leurs services de taxis improvisés. J'avais une heure devant moi avant le concert. Bali était le seul endroit sur terre où je ne regardais pas ma montre toutes les demi-heures. Ici, le temps n'avait pas d'importance. Il était l'heure qu'il était, c'est tout. Comme la météo : personne ne cherchait à savoir quel temps il ferait. De toute façon, chaque journée offrirait aussi bien du soleil que de la pluie. C'était ainsi. Les Balinais acceptaient ce que les dieux leur donnaient sans se poser de questions embarrassantes.

Je repensai à la demande du sage de rêver à une vie idéale où je serais heureux. J'avais besoin d'un peu de temps pour me mettre dans la peau de quelqu'un pouvant vraiment tout se permettre et imaginer à quoi ressemblerait ma vie. On n'a pas ce genre de considérations tous les jours. Personnellement, j'avais plus l'habitude de remarquer chaque jour tout ce qui n'allait pas dans ma vie, que de penser à ce que je voudrais vraiment qu'elle soit...

Lorsque je m'autorisai à rêver, la première chose qui me vint à l'esprit fut que, si tout était possible, je changerais de métier. Professeur était, certes, un métier noble et valorisant, mais j'en avais assez d'enseigner une matière à des élèves qui ne l'appréciaient pas et que cela ennuyait même profondément. Je savais, bien sûr, qu'en s'y prenant différemment on pourrait accroître leur motivation à apprendre et finalement les intéresser, mais j'étais tenu d'appliquer à la lettre le programme officiel et de m'en tenir aux méthodes pédagogiques en cours, méthodes complètement inadaptées aux élèves d'aujourd'hui. Je ne supportais plus d'être pris en sandwich entre les exigences de mon administration et celles du terrain, totalement divergentes. J'avais envie d'air frais, de changer radicalement de métier, et de me réaliser dans un domaine artistique. Je rêvais de faire de ma passion mon métier, et ma passion, c'était la photographie. J'aimais par-dessus tout saisir des expressions de visages avec des portraits qui révélaient la personnalité du sujet, ses émotions, ses états d'âme. Même la photographie de mariage m'attirait. Si tout était possible, je créerais mon propre studio de photographie. Pas l'une de ces usines à débiter des photos posées, sans intérêt, non, un studio spécialisé dans les photos prises dans l'instant, sur le vif, pour capter des attitudes et des expressions qui montraient qui était la personne. Mes photos raconteraient des histoires. En les regardant, on comprendrait ce que pense et ressent chacun. Elles décoderaient les émotions des parents, les espoirs ou les craintes des beaux-parents, le regard de la sœur aînée qui se demande quand viendra son tour, celui des divorcés qui se disent que ces jeunes mariés croient au père Noël. Je voudrais aussi immortaliser le bonheur des gens, et que, toute leur vie, ils puissent d'un coup d'œil se replonger dans l'ambiance de ce grand jour et accéder aux émotions qui auront été les leurs. Une photo réussie est plus parlante qu'un long discours.

Mon studio aurait beaucoup de succès et accéderait à une certaine notoriété. Des magazines s'intéressant à mon travail publieraient certaines de mes œuvres. Je serais enfin reconnu pour mon talent. Ouais, ce serait cool. Je conserverais des tarifs raisonnables pour permettre à un large public de s'offrir mes services. Néanmoins, j'arriverais sans peine à doubler ou même à tripler mon salaire d'enseignant. Je pourrais enfin m'offrir une maison. Une belle maison dont je dessinerais les plans et que je ferais construire. J'aurais un jardin et j'y bouquinerais le week-end, allongé dans un transat, à l'ombre d'un tilleul. Je me coucherais dans l'herbe et ferais la sieste, les narines taquinées par le parfum des pâquerettes. Et puis, bien sûr, je serais avec une femme que j'aimerais et qui m'aimerait. Cela va de soi... J'apprendrais aussi à jouer du piano. J'ai toujours tellement eu envie de jouer d'un instrument! Cette fois, je le ferais. Et ensuite, j'interpréterais des nocturnes de Chopin, le soir, dans mon grand salon, pendant que le feu crépiterait dans la cheminée. De temps en temps, j'inviterais des amis et je jouerais pour eux. Mon bonheur serait contagieux.

– Votre poisson, monsieur.

– Euh, pardon?

– Vous voulez du citron ou de la sauce épicée?

– Du citron, merci.

Le poisson était présenté entier dans mon assiette, et j'avais l'impression que son œil me regardait. Je me mis à culpabiliser de rêver au bonheur pendant que ce poisson était mort pour moi. Il me le rappelait en me fixant du regard.

J'étais presque surpris de constater que mon rêve n'était pas démesuré. Je n'avais pas besoin de devenir milliardaire pour être heureux, ni d'être une rockstar ou un homme politique connu. Et pourtant, ce simple rêve et le bonheur qu'il contenait me semblaient inaccessibles. J'en voulais presque au guérisseur de m'avoir entrouvert une porte sur ce qu'aurait pu être ma vie. Une porte qui, une fois refermée, me laisserait un goût amer en faisant apparaître au grand jour de ma conscience le décalage immense entre rêve et réalité.

Il me restait à accomplir l'autre mission qu'il m'avait confiée. Je me demandais où je pourrais trouver un accès Internet. Sans doute dans un hôtel, à condition qu'il soit suffisamment luxueux pour être équipé en conséquence. Mais on risquait de m'en refuser l'utilisation puisque je n'y résidais pas. Bon, j'essayerais demain. Je tenterais ma chance dans l'un des palaces de la côte. J'inventerais un bobard et j'essayerais de me débrouiller.

Le poisson n'avait pas l'air d'approuver mon idée. Il continuait de me fixer de son œil culpabilisateur. L'appétit coupé, je finis par demander l'addition, abandonnant mon assiette à moitié pleine. Désolé mon vieux, tu seras mort pour rien.

Dehors, je retrouvai l'ambiance détendue de la rue. Je tombai sur Hans et Claudia devant la salle des cérémonies. Ils mangeaient debout et à la hâte une sorte de sandwich assez peu appétissant. Normal : pourquoi se faire plaisir ? On perd moins de temps à manger sur le pouce, et c'est moins cher. Bref : plus rationnel !

– Bonsoir, Julian ! dirent-ils en chœur.

– Bonsoir vous deux ! Alors, combien de temples avez-vous visités cet après-midi ?

– Disons que nous avons bien rentabilisé notre journée, répondit Hans.

– Le concert ne va pas tarder à commencer, annonça Claudia.

La salle des cérémonies était, en fait, une sorte d'amphithéâtre en plein air. Celui-ci était déjà presque plein, et nous nous assîmes au fond, tout en haut, mais de face. Moi qui suis un mélomane exigeant, j'avais quelque a priori sur les gamelans – sortes de grands xylophones en bambou qui produisent une gamme limitée de sons peu subtils. Ce soir-là, il y en avait pas moins de huit sur scène, et, lorsque le concert commença, je fus surpris par l'ampleur du bruit qui s'éleva dans l'amphithéâtre.

Le son semblait de prime abord assourdissant, voire cacophonique, mais une sorte de cohérence d'ensemble m'apparut par la suite. Je devais finir par reconnaître qu'il y avait même quelque chose d'envoûtant dans cette musique pourtant peu harmonieuse pour un Occidental. Au bout d'un moment, la répétitivité des mélodies vous hypnotisait, et vous vous retrouviez dans un état second, comme porté par les sons obsédants qui avaient une emprise sur votre cerveau. Une forte odeur d'encens se répandait dans l'amphithéâtre, en différents endroits, et encerclait le public. Dix ou vingt minutes s'étaient écoulées, peut-être plus car je perdais la notion du temps, quand les danseuses firent leur apparition sur la scène, richement vêtues de leurs sublimes costumes traditionnels hauts en couleur et très raffinés. Leurs coiffures étaient sophistiquées et consistaient en un chignon agrémenté de perles et de fins rubans. Leurs pas de danse étaient précis, délicats. Chaque mouvement portait en lui une féminité et une grâce incroyables. De loin, je pus voir leurs yeux à moitié révulsés et, d'un seul coup, je compris tout : elles étaient en transe, elles dansaient sous hypnose. C'était impressionnant de les regarder dans cet état se mouvoir parfaitement en rythme, au son des gamelans qui maintenaient leur transe et la communiquaient aux spectateurs. Leurs déplacements dans l'espace étaient mesurés, leur coordination parfaite. Leurs mains jouaient un rôle crucial dans la danse. Elles se mouvaient en une série de gestes délicats, très codifiés, dont l'élégance n'avait d'égal que la précision. Le public était captivé, et je le sentais vibrer en harmonie avec les danseuses. Les senteurs d'encens nous ensorcelaient. Seul Hans regardait sa montre de temps en temps. Claudia était subjuguée par le spectacle. J'avais l'impression qu'elle allait entrer en lévitation, phénomène qui aurait fort intéressé son scientifique de mari. Le rythme s'accéléra progressivement, et le son abrutissant des gamelans s'amplifia, prenant possession de mon cerveau et hantant mon âme qui n'était déjà plus tout à fait mienne. Le parfum des encens habitait mon corps et imprégnait chaque fibre de mon être. Les lumières de la scène tournoyaient dans ma tête tandis que chaque cellule de mon corps vibrait au rythme des percussions.

9

Difficile de conduire de nuit après un tel concert. Heureusement, il me suffisait de suivre la voiture des Hollandais sans réfléchir à mon itinéraire. Je savais que je pouvais faire confiance à Hans : il avait conservé tous ses esprits. Je conduisis machinalement, et pourtant la route me sembla bien longue. On traversait des bois, des champs et d'innombrables villages dans lesquels je devais m'efforcer de me concentrer pour ne pas renverser les quelques passants encore présents dans les rues. Le plus dur était d'éviter les voitures qui roulaient dans tous les sens, la plupart du temps sans éclairage. Les Balinais croient en la réincarnation et, de ce fait, n'ont pas peur de la mort. Cela les rend très imprudents, qu'ils soient piétons ou au volant... Le pauvre mortel que je suis devait redoubler de vigilance.

Il était près de minuit lorsque nous arrivâmes sur la plage de Pemuteran. La nuit était noire, mais des points lumineux révélaient la présence de plusieurs personnes en différents endroits de la plage. La lune se dégageait par moments de la tentative d'étouffement des nuages, et illuminait alors de sa lumière blanche et froide les petites vagues qui léchaient le sable. Nous nous retrouvâmes tous les trois devant un fonctionnaire qui filtrait l'accès à la plage.

– Bonsoir, nous venons voir les tortues, dit Hans.

– Bonsoir. Vous avez le droit d'accéder à la plage si vous respectez les consignes : vous ne devez pas vous approcher à moins de deux mètres des tortues adultes. Il ne faut pas non plus élever la voix. Et vous devez rester côté terre : vous n'avez pas le droit de marcher dans l'espace qui sépare les tortues de la mer.

– D'accord.

– Bonne soirée.

Nous foulâmes le sable en silence, humant l'air chaud de la nuit chargé de subtiles senteurs marines. Nous distinguions de grosses masses sombres éparpillées sur la plage : des tortues de un mètre dix et cent vingt kilos chacune. Elles semblaient immobiles, comme endormies sur le sable.

La lumière blafarde qui apparaissait épisodiquement, telle celle d'un phare céleste, leur donnait l'apparence d'êtres préhistoriques inquiétants. Nous les regardâmes interdits pendant un long moment. Pour rien au monde nous n'aurions troublé leur quiétude. Elles s'apprêtaient à accomplir le plus bel acte du monde dans un silence religieux, à peine froissé par l'infime clapotis des vagues. Nous étions plongés dans un univers de lenteur, immergés dans le calme, engourdis par notre fascination pour cet instant rare, ressentant les sourdes pulsations de nos cœurs résonner au plus profond de nous.

De longues minutes passèrent ainsi, sans que nous prononçâmes un mot, puis nous nous dirigeâmes vers un groupe de gens rassemblés un peu plus loin. Ils appartenaient à une association de protection de la nature, dépêchée sur place pour l'occasion. Ils protégeaient les tortues et surveillaient les œufs en attendant leur éclosion, car, une fois pondus, ceux-ci étaient abandonnés dans le sable par les mères. Ils nous expliquèrent qu'ils tenaient un registre des naissances annuelles pour suivre les statistiques d'année en année. Les tortues avaient été chassées pendant des siècles, mais le gouvernement, sensible à la menace grandissante de disparition de l'espèce, avait enfin fini par proscrire leur commerce. Depuis, le braconnage battait son plein, et les fonctionnaires faisaient quelques efforts pour surveiller les rares plages concernées pendant la courte saison de la ponte : une ou deux nuits par an.

Les tortues qui venaient pondre ce soir étaient nées ici, sur cette même plage, il y avait plus de cinquante ans. Elles avaient voyagé durant toutes ces années, parcouru des dizaines de milliers de kilomètres, et revenaient donner la vie à l'endroit précis où elles étaient nées un demi-siècle auparavant. Personne ne savait pourquoi ; aucun scientifique ne pouvait l'expliquer. C'était ainsi. Et c'était très émouvant.

Je regardais ces tortues silencieuses, gardiennes d'un secret millénaire, porteuses d'une sagesse inconnue. Pourquoi revenaient-elles ici ? Comment avaient-elles mémorisé ce lieu ? Comment étaient-elles parvenues à se diriger à travers les océans pour revenir précisément ici, sur le lieu même de leur naissance ? Quel était le sens de cet acte ? Autant de questions qui resteraient sans réponse.

Nous attendîmes pendant près de trois heures l'éclosion des œufs, et c'est les yeux écarquillés et le cœur attendri que nous regardâmes les bébés à peine nés se diriger vers la mer, parcourant sans hésitation les quelques mètres qui les séparaient de l'eau. Nous apprîmes que la plupart d'entre eux allaient mourir dans les prochaines heures, dévorés par divers prédateurs, et parmi eux : les requins. Ceux qui réussiraient à rejoindre le large et ses profondeurs auraient ensuite plus de chances de s'en sortir. Statistiquement, sur les naissances de la nuit, un seul survivrait au bout du compte.

– La vie est une loterie, dit Claudia, dépitée.

– La vie est une course perpétuelle, lui rétorqua son mari. Seuls les plus rapides s'en sortent. Ceux qui traînaillent, papillonnent ou s'accordent des plaisirs meurent. Il faut toujours aller de l'avant.

J'étais abasourdi, autant par les bébés tortues que par ce que je venais d'entendre. C'était extraordinaire : en quelques mots seulement, chacun avait résumé toute sa vision de la vie. La dernière pièce du puzzle hollandais se mettait en place, donnant du sens à l'ensemble des scènes dont j'avais été le témoin. Je comprenais maintenant pourquoi Claudia acceptait le rôle de ménagère imposé par son mari : elle avait juste tiré le mauvais numéro. Quand on a perdu, on a perdu, il n'y a rien à faire. On n'argumente pas quand on perd au casino ou au loto. Les choses sont comme elles sont, il ne sert à rien de vouloir les changer. Quant à Hans, je comprenais mieux son obsession de l'action et son incapacité à s'accorder des instants de détente.

Je me demandais si les tortues avaient elles aussi des croyances sur la vie, ou si, au contraire, l'absence de croyances leur permettait finalement de vivre plus en harmonie avec elles-mêmes.

Je regardai les bébés tortues se diriger sereinement vers leur élément naturel, et me demandai lequel survivrait et reviendrait ici, dans cinquante ans, lorsqu'il aurait atteint, à son tour, l'âge de donner la vie.

10

Le retour sur ma plage s'était bien passé, puis j'avais pris mon rituel bain de nuit, me demandant à quoi ressemblerait mon parcours si j'étais un bébé tortue. Étant par nature en proie aux hésitations, je me demandais si l'expression « dévoré par le doute » n'aurait pas revêtu un sens bien particulier dans ce contexte.

Le lendemain matin, je me réveillai assez tôt après une très courte nuit. Je voulais avoir le temps de rassembler les informations que le guérisseur m'avait demandées, avant d'aller le rejoindre, le plus vite possible.

Je repérai, dans mon guide, le palace le plus proche et sautai dans ma voiture. Vingt minutes plus tard, je passais au ralenti devant l'entrée de l'Amankila, sans doute l'un des plus beaux palaces du monde, et aussi l'un des plus intimes. J'avalai ma salive en franchissant l'entrée du parc, au volant de ma voiture de location premier prix, et je pris brutalement conscience de son incongruité, accentuée par sa saleté après quinze jours de crapahutage sur les routes poussiéreuses de l'île. Je remontai à faible allure l'allée bordée d'opulents massifs de fleurs, espérant faire le moins de bruit possible, et me garai le plus loin que je pus de la réception. J'empruntai le joli sentier qui y menait, zigzaguant à travers un jardin paysager d'un raffinement exquis. Sur une pelouse bordée de rocaille, je vis deux employés à genoux dans l'herbe. Munis chacun d'une paire de ciseaux, ils taillaient consciencieusement le gazon. Dans ce genre d'endroit, une vulgaire tondeuse était exclue ; elle aurait troublé la quiétude des résidents. Je restai un instant interloqué avant de reprendre mon chemin, tentant d'adopter une démarche naturelle, feignant l'indifférence des habitués. Ce fut difficile de rester dans ce registre quand la beauté du site qui s'offrit à ma vue me coupa presque le souffle. Une succession de bâtiments sans étage et partiellement sans murs, élaborés dans un style colonial contemporain, constitués de matériaux recherchés, de bois rares, de belles pierres, offrant à l'œil un doux dégradé de tons crème, s'ouvrait en direction de la mer. Face à eux, une enfilade de trois sublimes piscines à débordement sur trois niveaux. La première était remplie à ras bord d'une eau qui glissait silencieusement vers la deuxième, en contrebas, qui elle-même se déversait dans la troisième. Dans l'axe, au loin, vue vertigineuse sur la mer, du même bleu que les piscines. Celles-ci étaient si magiquement intégrées au paysage qu'il semblait que la mer elle-même avait été colorée pour s'y assortir. Au-dessus, l'immensité bleue du ciel. Quelques cocotiers et autres arbres tropicaux étaient judicieusement disposés pour renforcer la beauté et la perfection du site. J'avais l'impression que rien n'aurait pu être ajouté ni soustrait sans entacher cette perfection. Un calme absolu, pas de présence humaine visible. Les résidents préféraient sans doute l'intimité des piscines privées dont ils disposaient devant chaque suite, dans d'élégants jardins privatifs abrités des regards. Seuls quelques employés, dont la livrée écrue se fondait sur les murs, faisaient parfois une discrète et silencieuse apparition, se glissant tels des fantômes entre les colonnes des bâtiments épars. Je repris mon chemin vers la réception, ayant de plus en plus de mal à me sentir à l'aise en ce lieu. Je fus accueilli par un homme distingué, lui aussi en livrée écrue, affable et souriant.

Je pris un air assuré.

– Bonjour, je voudrais consulter un écran connecté à Internet, s'il vous plaît.

– Vous résidez à l'hôtel, monsieur ?

Pourquoi me posait-il la question ? Il savait pertinemment que non. J'avais lu dans mon guide que l'hôtel employait deux cents personnes pour s'occuper des soixante-dix résidents. Les salariés apprenaient tous les jours par cœur leurs noms qu'ils employaient chaque fois qu'ils les croisaient. « Comment allez-vous, monsieur Smith ? » « Belle journée, madame Greene, n'est-ce pas ? » « Vous avez l'air en pleine forme, monsieur King. »

– Non, je suis au Legian, mentis-je, désignant un autre palace de l'île. Je suis en déplacement dans l'est, et j'ai absolument besoin de me connecter quelques minutes à Internet.

De toute façon, j'étais sûr qu'il n'éconduirait pas un Occidental.

– Veuillez me suivre, s'il vous plaît, monsieur.

Il me conduisit dans une élégante salle équipée d'un ordinateur déjà allumé, prêt à m'accueillir. La pièce était presque aussi vaste que l'appartement dans lequel je vivais à l'année ; atmosphère calfeutrée, moquette épaisse au sol, boiseries tropicales au mur, porte vitrée à petits carreaux dont la poignée sculptée devait coûter aussi cher que mon billet d'avion.

Il me fallut moins d'un quart d'heure, en consultant les diverses propositions du moteur de recherche, pour accéder à l'information que je désirais.

Ce que je lus confirma ce qu'avait rapidement évoqué le guérisseur : les laboratoires pharmaceutiques réunissaient des patients volontaires, atteints d'une maladie. Ils distribuaient à la moitié d'entre eux le médicament qu'ils venaient de mettre au point pour soigner cette maladie et donnaient à l'autre moitié un placebo, c'est-à-dire une substance inactive parfaitement neutre, qui avait l'aspect d'un médicament. Ces patients, bien sûr, ne savaient pas qu'on leur avait prescrit un placebo : ils croyaient que c'était un médicament censé guérir leur mal. Les chercheurs mesuraient ensuite les résultats obtenus dans chacun des deux groupes de patients. Pour qu'ils puissent démontrer l'efficacité de leur médicament, il fallait que les malades l'ayant absorbé présentent des résultats supérieurs à ceux constatés dans le groupe de personnes ayant pris le placebo.

Je découvris ainsi que les placebos avaient un certain impact sur les maladies, ce qui était déjà extrêmement surprenant, puisqu'il s'agissait de maladies réelles et que les placebos étaient, quant à eux, des substances tout à fait inactives. Le seul apport était donc psychologique : les patients croyaient qu'il s'agissait d'un médicament et donc croyaient que cela allait les guérir. Et, dans certains cas, cela suffisait effectivement à les guérir. Ce qui me fit vraiment réagir, c'est le nombre de cas pour lesquels la croyance en la guérison suffisait à guérir le patient. Il était en moyenne de 30 %! Même des douleurs pouvaient disparaître! Un placebo était aussi efficace que la morphine dans 54 % des cas! Des patients avaient mal, ils souffraient, et l'absorption d'un vulgaire comprimé de sucre ou de je ne sais quel ingrédient neutre supprimait leur douleur. Il suffisait qu'ils y croient...

Je continuai de consulter, médusé, quantité de chiffres similaires concernant des maladies diverses et variées. Puis je tombai sur le chiffre qui me cloua sur place, les doigts comme englués sur le clavier : on avait administré à des malades un placebo présenté comme de la chimiothérapie et 33 % d'entre eux avaient intégralement perdu leurs cheveux. J'en restai bouche bée devant mon écran. Ces malades avaient avalé l'équivalent d'un morceau de sucre en croyant que c'était un médicament dont l'effet secondaire bien connu est la perte des cheveux, et ils avaient effectivement perdu leurs cheveux! Mais ils n'avaient rien avalé d'autre qu'un putain de morceau de sucre, nom de Dieu! J'étais pétrifié, confondu par ce pouvoir des croyances sur lequel avait tant insisté le guérisseur. C'était tout simplement incroyable. Et pourtant, les chiffres étaient bien réels, publiés par un très sérieux laboratoire, réputé pour ses chimio-thérapies. L'instant d'après, je me sentis bizarrement un peu révolté : pourquoi, en effet, ne révélait-on pas ces chiffres au grand public ? Pourquoi ne pas les confier aux médias ? Cela ouvrirait des débats qui finiraient par amener la science à se pencher sur la question. Si des phénomènes psychologiques per-mettaient d'avoir à ce point un impact sur le corps et les maladies, pourquoi concentrer la recherche sur la production de coûteux médicaments jamais exempts d'effets secondaires ? Pourquoi ne pas s'intéresser davantage au moyen de guérir les malades par la voie psychologique ?

Je quittai la pièce en laissant volontairement mon écran allumé sur la page communiquant ces données. Avec un peu de chance, le pro-chain résident à entrer ici serait le patron d'un grand groupe de presse ? Il n'était pas interdit de rêver.

Je saluai négligemment le réceptionniste en par-tant, bien sûr sans chercher à régler mon temps de connexion : ce serait apparu peu crédible de la part d'un habitué de ce genre d'endroits.

11

— Bonjour! dis-je à la jeune femme qui m'accueillit comme d'habitude.

Il m'avait fallu près d'une heure et demie pour venir depuis l'Amankila. La simple vue du campan et de son jardin suffisait à me mettre instantanément dans un état de bien-être profond, sur un petit nuage, un peu comme lorsque l'on rouvre le tube de crème solaire de l'été précédent et que son parfum vous transporte en un instant sur le lieu de vos dernières vacances.

— Maître Samtyang n'est pas là aujourd'hui.

— Pardon?

J'étais ramené brutalement sur terre. Pas là? Lui et ce lieu me semblaient tellement indissociables que j'avais du mal à imaginer qu'il puisse s'en extraire.

— Il s'est peut-être absenté, mais il va revenir? Je vais l'attendre.

– Non, il m'a dit de vous remettre ceci, dit-elle en me tendant une feuille de papier beige pliée en quatre.

Il m'avait laissé un mot ? S'il voulait expliquer son absence, pourquoi n'avait-il pas simplement transmis verbalement un message à la jeune femme pour qu'elle me le répète ? Je dépliai le papier et lus d'une traite, oubliant sa présence :

Avant notre prochaine rencontre :
– Écrivez tout ce qui vous empêche de réaliser votre rêve d'une vie heureuse.
– Faites l'ascension du mont Skouwo.

Samtyang

Faire l'ascension du mont Skouwo ?! Mais cela représentait au moins quatre ou cinq heures de montée ! Et sous la chaleur ! Pourquoi pas l'Annapurna ?!

Elle me regardait en souriant, pas du tout concernée par mes préoccupations.

– Et a-t-il dit quelque chose en vous donnant ce papier ? A-t-il ajouté un commentaire ? demandai-je.

– Rien de particulier. Il m'a juste dit de vous le remettre en ajoutant que vous comprendriez.

Je comprenais surtout qu'il n'était pas là pour m'accueillir, moi qui n'avais plus que trois jours devant moi avant mon départ. J'étais très frustré.

– Vous savez s'il sera là demain ?

– Sans doute, répondit-elle sur un ton qui signifiait plutôt qu'elle n'en savait rien.

– Si vous le voyez, surtout dites-lui que je passerai demain matin, et que je compte vraiment sur lui. Il faut absolument que je le voie.

Je pris congé et regagnai ma voiture en traînant des pieds.

Je pris la direction du mont Skouwo, au nord de l'île, sans enthousiasme. Il ne fallait pas tarder si je voulais le gravir et redescendre avant la nuit.

Au bout de quelques kilomètres, je vis un enfant marcher au bord de la route. Huit ou dix ans, je ne savais pas : je n'ai jamais été doué pour évaluer l'âge des enfants. Dès qu'il aperçut ma voiture, il s'arrêta et tendit son pouce. Je n'avais aucune raison de ne pas le prendre en stop. Il monta à bord, arborant un sourire satisfait.

– Comment t'appelles-tu ?

– Ketut.

Pas surprenant : il n'existe que quatre prénoms balinais, en tout cas dans la caste la plus répandue. Quand on rencontre un inconnu, il y a donc une chance sur quatre qu'il s'appelle Ketut.

– Tu n'as pas école aujourd'hui ?

– Non, pas aujourd'hui.

– Tu vas chez tes parents ?

– Mes parents sont morts tous les deux.

J'avalai ma salive, me reprochant ma gaffe, quand je réalisai qu'il avait conservé son sourire.

– Ils sont morts dans un accident de voiture la semaine dernière, précisa-t-il, toujours en souriant.

J'étais assez déstabilisé, même si je savais que les Balinais n'ont vraiment pas la même relation que nous à la mort. Le fait de croire en la réincarnation les amène à lui donner un sens très différent du nôtre. Pour eux, cela n'était pas spécialement triste. Je regardai cet enfant sourire, et, pour la première fois, je me dis que j'aurais aimé être balinais et appartenir à une culture qui aurait induit en moi des croyances si positives. Pendant un long moment, je me demandai en quoi ma vie même serait changée si je percevais différemment ma propre mort.

Je déposai l'enfant au village suivant, et continuai ma route.

Pas un nuage pour calmer l'ardeur du soleil. L'ascension du mont Skouwo promettait d'être pénible. Je commençais vraiment à me demander si j'allais trouver le courage de l'entreprendre. Je n'en avais pas franchement envie et, de toute façon, je ne voyais pas ce que cela était censé m'apporter. Pourquoi m'avait-il confié cette tâche ? Dans quel but ?

Quel était le rapport avec nos conversations, avec ma quête d'une vie heureuse? Aucun. Alors, à quoi bon? Et puis j'avais une autre tâche, plus pertinente, celle-là. Il valait mieux que je me consacre à elle.

Plus j'avançais vers le mont Skouwo, plus je me cherchais des raisons de ne pas le gravir. Il ne fallait pas que je me mente à moi-même, m'avait expliqué le guérisseur. Eh bien, la vérité était que je n'avais pas du tout envie d'en faire l'ascension. Je n'avais pas besoin de le justifier par des arguments pseudo-rationnels. Je dirais la vérité au guérisseur demain. Et si j'étais supposé découvrir quelque chose dans la montagne, il me dirait quoi et cela me suffirait. Je suis capable de comprendre ce que l'on m'explique.

Je me sentis d'un seul coup soulagé par ma décision, comme libéré d'un poids. Je bifurquai à l'intersection suivante et pris plein est, direction : ma plage!

J'arrivai sur place en fin d'après-midi. Je me garai et croisai Claudia en marchant vers mon bungalow.

– Bonjour, Claudia. Superbe journée, n'est-ce pas?

– Oui, il fait beau aujourd'hui, on va le payer demain, dit-elle en s'éloignant.

Les phrases anodines que j'avais toujours acceptées sans y penser me titillaient maintenant les oreilles. Le monde de Claudia était plutôt triste, et les bonnes choses y étaient donc louches. Elle croyait peut-être ne pas les mériter, et quand l'une d'elles survenait, Claudia s'attendait à en payer le prix tôt ou tard.

Je m'armai d'un carnet et d'un crayon, et m'assis sur le sable, adossé au tronc d'un palmier, profitant de son ombre légère. La plage était déserte ; seul un petit bateau de pêcheur, au large, révélait une présence humaine entre moi et l'infini de l'horizon.

Je commençai par noter tout ce qui m'était venu à l'esprit, la veille, au restaurant. J'avais l'impression d'écrire mon testament de bonheur. Si je venais à mourir, mes héritiers pourraient lire la vie que j'aurais aimé avoir.

Qu'est-ce qui m'empêchait de vivre cette vie désirée ? Difficile de répondre globalement. Il me fallait descendre dans le détail. Je repris un à un les points que j'avais évoqués, et il me fut malheureusement facile de trouver les raisons qui rendaient impossibles la réalisation de mes rêves, de mes projets, la mise en œuvre de mes idées et, finalement, mon accès au bonheur.

Je passai près d'une heure à écrire, et c'est assez mélancolique que je regardai ensuite la nuit tomber sur la mer. J'avais, comme tout le monde, vécu des instants de bonheur, mais j'avais le sentiment que je n'étais pas fait pour vivre pleinement heureux. Le

bonheur était peut-être réservé à certaines personnes, à quelques élus dont je n'étais pas.

Le moment de ma baignade nocturne arriva, et je
nageai silencieusement pendant un long, très long
moment.

12

Me lever tôt allait finir par devenir une habitude. Je voulais absolument voir le guérisseur ce jour-là, et j'avais une légère appréhension en raison de son absence de la veille. Je me préparai en hâte et sautai dans ma voiture sans oublier les notes que j'avais prises. Je fis quelques excès de vitesse, et m'amusai à penser qu'écraser un piéton ou deux leur offrirait une chance de se réincarner plus tôt que prévu.

Je fus soulagé de m'entendre dire « Veuillez me suivre » lorsque je me présentai devant la jeune femme à l'entrée du campan. Je me détendis, humai l'air parfumé du jardin, et c'est avec une joie sincère que je saluai maître Samtyang lorsqu'il me rejoignit.

— J'étais très déçu de ne pas vous voir hier, lui confiai-je.

– Avez-vous avancé dans vos réflexions concernant votre vie ?

– Oui.

– Vous voyez : vous n'avez pas tant besoin de moi, dit-il en souriant.

Nous nous assîmes par terre, sur la natte, comme à l'accoutumée.

– Alors, avez-vous trouvé des informations intéressantes sur les placebos ? me demanda-t-il.

– Oui, et ce que j'ai lu m'a époustouflé, avouai-je.

Je lui contai le fruit de mes recherches de la veille à l'Amankila :

– Je pensais que je trouverais des preuves de l'effet des placebos sur des maux pour lesquels le psychisme joue un rôle évident, comme les troubles du sommeil, par exemple. Mais j'ai été vraiment surpris de découvrir leur impact sur des maladies « palpables », et même les effets qu'ils peuvent avoir directement sur le corps. C'est très impressionnant, dis-je.

– Oui, c'est vrai.

– Je me disais qu'il était dommage qu'on ne fasse pas davantage de recherches pour réfléchir au moyen d'utiliser le mécanisme des croyances pour guérir les gens.

– Oui, surtout que cela ne date pas d'hier : il y a deux mille ans, Jésus le pratiquait déjà.

– Pardon ?

– On n'en parle jamais, mais Jésus s'appuyait sur les croyances des gens pour les guérir.

– C'est une plaisanterie ? Vous avez l'intention d'écrire *Da Vinci Code 2* ?

Sans répondre, il se pencha sur le petit coffre en bois de camphrier, et, à mon étonnement, en sortit une bible.

– Vous êtes chrétien ? !

– Non, mais cela n'interdit pas de s'intéresser à la Bible.

Il la feuilleta tranquillement, puis me lut un passage.

– Jésus répond à des aveugles qui le supplient de les guérir (Matthieu 9, 28) : « Jésus leur dit : – Croyez-vous que je puisse faire cela ? – Oui, Seigneur, lui répondirent-ils. Alors il leur toucha les yeux en disant : – Qu'il vous soit fait selon votre foi. »

– Il a vraiment dit cela ?

– Lisez vous-même, dit-il en me tendant la bible ouverte. Vous remarquerez qu'il ne dit pas : « Moi, Jésus tout-puissant, j'ai le pouvoir de vous guérir. » Non, il leur demande s'ils croient qu'il a ce pouvoir, puis il leur dit qu'ils obtiendront ce en quoi ils croient. C'est très différent.

Je n'en revenais pas. Je relus en boucle ce passage de l'Évangile selon Matthieu. C'était incroyable. Comment Jésus pouvait-il savoir ce qu'au XXIe siècle pratiquement personne ne connaissait ? Comment pouvait-il à ce point comprendre le fonctionnement des êtres humains au plus profond d'eux-mêmes ? Je devais reconnaître que j'étais troublé par ce que je venais de découvrir.

La voix du guérisseur me sortit de mes songes.

– Un chercheur américain a récemment mené une enquête sur l'efficacité de tous les traitements utilisés à notre époque pour soigner les cancers. Il s'est penché sur les résultats mesurés chez un groupe de malades. Ces résultats étant assez disparates, cela l'a amené à pousser l'investigation plus loin. Il a finalement mis en évidence que, dans ce groupe, les malades qui guérissaient avaient bénéficié de traitements très différents les uns des autres ; en revanche, ces malades avaient tous quelque chose en commun.

– Quoi ?

– Tous ceux qui ont guéri étaient au préalable absolument convaincus que leur traitement allait les guérir. Ils avaient une confiance totale en leurs médecins et dans le choix du traitement. Pour eux, la guérison allait de soi.

– Donc, peu importe le traitement, ce qui compte, c'est d'y croire ?

– En quelque sorte.

– C'est fou. Le cancer n'est pourtant pas une maladie psychosomatique. Et l'on peut observer sa présence dans l'organisme de façon incontestable.

– On ne connaît pas bien encore toutes les causes possibles du cancer. Il y a vraisemblablement un terrain héréditaire, des causes environnementales, la pollution, l'alimentation, etc. Mais il existe peut-être aussi, dans certains cas, une dimension psychologique encore méconnue.

– Comment ça ?

– Il s'est produit, il y a quelques années, un fait troublant que l'on n'a pas su expliquer.

– Quoi ?

– Une femme présentant les symptômes d'un cancer du sang, une leucémie, s'est fait admettre aux urgences d'un hôpital américain. On lui a immédiatement fait une prise de sang, laquelle a montré une formulation sanguine typique d'une leucémie. Le protocole de l'hôpital exigeait que l'on fasse une seconde prise de sang pour confirmer les résultats de la première. Or, cette seconde prise de sang a révélé une formulation sanguine tout à fait normale. Surpris, les médecins demandent alors une troisième prise de sang. Et là, les résultats sont identiques à ceux de la première analyse. Les médecins pensent donc que le deuxième examen sanguin a été mal fait et que ses résultats sont faux. Pour en avoir le cœur net, ils ordonnent une quatrième prise de sang. Sauf que celle-ci confirme les résultats... de la deuxième. Stupeur et incompréhension. Ce n'est que plus tard qu'ils apprirent que la patiente souffrait par ailleurs d'un dédoublement de la personnalité. Elle était capable de changer de personnalité d'un instant à l'autre. Et il se trouve que ce changement s'était opéré entre les diverses prises de sang... L'une de ses personnalités était atteinte d'un cancer, l'autre pas.

— Mais il s'agissait de la même personne!

— Oui.

— C'est hallucinant!

— C'est un mystère. On n'a jamais pu l'expliquer.

J'étais impressionné, et à nouveau enthousiaste à l'idée que, le jour où l'on mènerait des recherches dans cette direction, on élargirait de façon considérable le champ du possible en médecine.

— Pour clore le chapitre sur la santé, me dit-il, il est intéressant de savoir que les gens qui croient en

Dieu et pratiquent leur religion, quelle qu'elle soit, de façon régulière, ont une espérance de vie de 29 % supérieure à celle des autres.

– Vous savez, plus rien ne m'étonne, maintenant !

– Comme je vous le disais la dernière fois, on ne peut pas juger une croyance, mais on peut s'intéresser à ses effets. En l'occurrence, nul ne peut prouver l'existence de Dieu, mais on sait que l'un des effets de la croyance en Dieu est un allongement de la durée de vie.

– Eh bien, je vais peut-être retourner à l'église le dimanche !

– Je ne suis pas sûr que cela ait un effet : c'est la croyance qui compte, pas le comportement, même si, et les ecclésiastiques le savent bien, les rituels entretiennent la croyance... Au fait, quel est ce médaillon que vous portez ?

– Ça ? dis-je en désignant la petite croix huguenote suspendue autour de mon cou.

– Oui.

– Mon père me l'a donné de son vivant, « pour me porter bonheur », disait-il. J'y suis très attaché car il me vient de lui.

– Beaucoup de gens croient tellement en leur médaille porte-bonheur qu'ils n'accepteraient pas de sortir sans. D'ailleurs, je ne le leur conseillerais pas...

Aujourd'hui encore, j'allais avoir droit à de la nourriture collante. C'est avec un sourire jaune, et en réfléchissant au moyen de me dérober sans vexer personne, que je vis arriver le plateau de la jeune femme.

— C'est très gentil de votre part, mais je ne veux pas abuser de votre hospitalité.

— C'est un plaisir pour nous de vous offrir cela, répondit-elle, à mon désarroi.

Je me sentis obligé d'accepter.

— Bon, alors je vais juste en prendre un tout petit peu, car j'ai déjà beaucoup mangé ce matin.

Elle me tendit une assiette, servit maître Samtyang, puis disparut. Ce dernier avait perçu mon embarras et arborait un large sourire. Il s'amusait beaucoup.

— Pourquoi avez-vous menti une fois de plus ?

Je n'allais pas nier et m'enfoncer dans le mensonge. D'ailleurs, cela n'aurait servi à rien : cet homme lisait dans mes pensées.

— Pour ne pas vous vexer en vous disant que je n'aime pas votre nourriture et que je déteste manger à la balinaise en ayant les mains collantes...

— Si je ne peux pas comprendre ça, et si je me vexe, c'est mon problème, pas le vôtre.

— Pardon ?!

— Ce n'est pas le message qui peut vexer, mais la façon de le transmettre, de le formuler. Si on y met la forme, par exemple en remerciant l'autre pour son intention positive, on ne le vexe pas. Ou sinon, c'est qu'il est particulièrement susceptible, et alors c'est, d'une certaine manière, *son* problème, pas le vôtre.

— Vous savez, je crois que j'ai aussi fait ça parce que c'était plus simple que d'expliquer la vérité.

— Là, vous vous leurrez gentiment. Quand vous ne dites pas la vérité aux gens, vous leur fournissez la tentation de contourner vos arguments, ce qui vous amène à mentir de nouveau. C'est d'ailleurs ce qui s'est passé. Au bout du compte, vous vous retrouvez contraint de faire quelque chose contre votre volonté, tel que manger un mets que vous n'aimez pas... Vous êtes donc doublement pénalisé.

— Doublement ?

— Oui, parce que mentir est avant tout mauvais pour soi. Un peu comme si cela générait une énergie négative que l'on accumulerait en soi. Essayez la vérité : vous verrez, c'est libérateur, et on se sent beaucoup plus léger d'un seul coup.

Léger était un mot convaincant, une promesse désirable lorsqu'on était en train de s'étouffer avec de la nourriture pâteuse et bourrative.

— À propos de vérité, je n'ai pas suivi votre consigne d'hier : je n'ai pas gravi le mont Skouwo.

— Je n'en suis pas surpris.

— Je n'en avais pas envie, alors je ne l'ai pas fait.

— Et cela fait quel effet de dire la vérité, tout simplement ?

— Je reconnais que c'est agréable. C'est une douce sensation.

— Tant mieux. Avez-vous réalisé les autres tâches que je vous avais confiées ?

— Oui, j'ai couché sur le papier ma vision d'une vie idéale, puis j'ai noté tout ce qui m'empêchait de la réaliser.

Je sortis mes notes et lui lus la description de la vie qui me faisait rêver. Il m'écouta silencieusement, et c'était agréable de sentir quelqu'un prêter attention à mes désirs, sans les commenter, sans interférer pour m'en dissuader, ni me suggérer autre chose de mieux selon lui. J'avais tellement entendu de saboteurs de rêves, ces gens qui vous disent : « Si j'étais toi, je ferais plutôt... », ou encore, pire, ceux qui vous prédisent des conséquences négatives de vos idées : « Si tu fais ça, il se passera... »

Quand j'eus fini, il me demanda simplement, après un silence :

— Comment savez-vous que cette vie vous rendrait heureux ?

— Je le sens bien. Je l'ai imaginée plusieurs fois, et chaque fois j'ai le même ressenti, la même satisfaction. Surtout, quand je m'imagine vivre cela, je n'ai plus d'autres désirs.

— Et quand vous vous voyez vivre cette vie, est-ce qu'il y a quelque chose que vous pourriez perdre par rapport à votre situation actuelle ?

— Rien, absolument rien.

— Parfait. Avant d'entrer dans les détails, j'aimerais juste connaître votre sentiment sur la raison pour laquelle cette vie que vous décrivez n'est pas la vôtre actuellement. Qu'est-ce qui a pu faire que votre chemin soit globalement différent de celui que vous auriez aimé suivre ?

— Je crois déjà que je n'ai pas beaucoup de chance d'une façon générale. Pour réussir sa vie, il faut de la chance, et je ne suis pas quelqu'un de très chanceux...

— Vous disiez, tout à l'heure, que vous n'étiez pas religieux, dit-il en riant, mais vous êtes superstitieux ! Je ne crois pas en la chance. Je crois que chacun rencontre dans son existence un grand nombre d'opportunités en tout genre, et que certains savent les repérer et les saisir, d'autres pas.

— Peut-être...

— Il y a eu une expérience très drôle, menée récemment en Europe, si ma mémoire est bonne. Elle visait à soumettre des volontaires, dont certains se disaient chanceux et d'autres pas, à une épreuve. Chacun se voyait confier un journal, et on lui donnait quelques minutes pour compter le nombre précis de photos publiées à l'intérieur. Au bout de quelques pages, un encart assez grand apparaissait au beau milieu du journal, indiquant en très gros caractères : « Inutile de continuer de compter : il y a 46 photos dans ce journal. »

» Les gens qui se disaient chanceux se sont tous arrêtés à la lecture de ce message. Ils ont refermé le journal et dit au chercheur : « Il y a 46 photos. » D'après vous, qu'ont fait les gens qui se disaient non chanceux ?

— Je ne sais pas... Je dirais qu'ils ont pensé qu'il devait y avoir un piège quelque part, et ils ont continué de compter jusqu'au bout pour en être sûrs, avant de donner le chiffre ?

— Non. Il est vrai qu'ils ont continué de compter jusqu'à la fin du journal, mais, quand on leur a demandé pourquoi ils n'avaient pas tenu compte de l'encart, ils ont tous dit : « Un encart? Quel encart? » Aucun d'eux ne l'avait vu!

– Intéressant, en effet...

– Oui, je suis convaincu que vous avez autant de chance que tout le monde, mais peut-être ne prêtez-vous pas attention aux opportunités qui s'offrent à vous.

– C'est possible.

Je me demandais quelles opportunités j'avais pu laisser passer dans ma vie, et quel aurait été son cours si je les avais vues et saisies.

– Bon, maintenant, reprenons les différents éléments de votre rêve.

– L'élément central est de m'installer à mon compte en créant mon propre studio de photographies de mariage.

– Très bien, alors dites-moi : qu'est-ce qui vous en empêche?

– En fait, j'ai bien peur de ne pas en être capable, même si ce projet m'attire énormément.

– Comment savez-vous que vous n'en seriez pas capable?

– Je le sens : c'est tellement différent de mon métier actuel, de ce que j'ai l'habitude de faire. Peut-être est-ce trop important comme changement, et que je n'y arriverai pas.

– Si vous vous basez seulement sur un ressenti, alors vous n'avez pas le moyen de savoir si c'est la réalité ou juste une croyance limitante.

– Peut-être.

– Savez-vous comment on peut se mettre à croire que l'on n'est pas capable de faire une chose ?

– Non.

– Quand il existe quelque part une question, souvent non formulée consciemment, à laquelle on n'a pas la réponse.

– Je ne vous suis pas.

– Un exemple : si vous ne savez pas répondre à la question « Comment puis-je concrètement réaliser ce projet ? », alors vous risquez de penser « Je ne suis pas capable de le réaliser », ce qui est une croyance limitante... Donc, je vous pose la question : comment comptez-vous vous y prendre pour que ce projet voie le jour ?

– Je ne sais pas.

– Vous voyez ! Tant que vous n'aurez pas répondu à cette question, vous aurez le sentiment de ne pas être capable de réaliser votre rêve.

– Je comprends.

– Pour y répondre, il vous sera nécessaire de descendre davantage dans les détails, car, tant que vous gardez une image très globale de votre projet, vous le percevez comme une chose un peu abstraite, donc irréalisable.

– C'est vrai, j'ai des émotions, mais pas de plan d'action précis. Émotions positives quand je rêve au résultat, négatives quand je pense au passage à l'acte...

– Voilà. Vous démystifierez ce projet en listant précisément tout ce que vous aurez à faire pour le réaliser, puis en notant pour chaque tâche ce que vous savez faire et ce que vous ne savez pas encore faire. Il suffit ensuite de trouver comment acquérir les compétences qui vous manquent.

– Il y a pas mal de choses que je devrais apprendre et qui me sont aujourd'hui complètement étrangères, par exemple, savoir gérer ce qui est quand même, d'une certaine manière, une petite entreprise, ou encore des compétences commerciales, puisqu'il faudra bien que je me fasse connaître et que je vende mes services. L'ennui, c'est que je n'aurai ni le temps, ni les moyens financiers de suivre des formations.

– Bon, vous pouvez aussi faire appel à votre créativité : il n'est pas toujours nécessaire de suivre un cours pour apprendre quelque chose! Quelles sont, par exemple, les personnes dans votre entourage susceptibles de détenir les compétences qui vous manquent et de vous les transmettre?

– Mon directeur en possède certaines, mais il est évidemment exclu de lui en parler.

– Qui d'autre, alors ?

– Mon ancien directeur, dans l'établissement où j'enseignais auparavant.

– Parfait, vous allez pouvoir lui demander de vous aider.

– Non...

– Qu'est-ce qui vous en empêche ?

– Je le sens pas...

– Pourquoi ?

– Je sais pas, j'ai pas envie de l'embêter avec mes affaires.

– Comment savez-vous que cela l'embêterait ? me demanda-t-il, étonné, comme si je venais de lui annoncer que j'étais un devin capable de savoir à l'avance ce que les gens allaient penser.

– Il n'aura sans doute pas envie de gâcher du temps à aider quelqu'un qui n'est même pas un proche ou un membre de sa famille.

– Si c'était vous, vous n'aideriez pas quelqu'un qui vient vous demander conseil sur votre métier ?

– Si, si, bien sûr.

Il me regarda dans les yeux.

– De quoi avez-vous peur, alors ? me demanda-t-il avec une infinie douceur.

J'eus, une fois de plus, le sentiment qu'il posait son doigt précisément là où il fallait, si bien qu'il n'avait pas besoin d'appuyer fort pour produire un effet. Le mot « peur » avait un écho particulier en moi. Pendant quelques instants, il résonna comme un gong dans ma cage thoracique, un gong dont les vibrations descendaient profondément dans les méandres de ma personnalité. Ce qui remonta à la surface m'apparut alors comme une évidence.

– J'ai peur de me faire rembarrer, donc je préfère ne pas prendre le risque.

Rien que d'y penser, je ressentais la honte que j'aurais si mon ancien patron m'envoyait bouler.

– Votre peur provient d'une confusion, d'un amalgame entre le rejet d'une demande et le rejet d'une personne. Ce n'est pas parce que l'on décline une requête de votre part que l'on ne vous aime pas ou que l'on n'a pas de considération pour vous.

– Peut-être.

– D'autre part, vous ne savez absolument pas si sa réaction serait négative. On ne peut pas répondre à la place des gens. C'est seulement en posant la question que vous serez fixé.

– Je ne suis sans doute pas assez masochiste.

– La plupart de nos peurs sont des créations de notre esprit. Vous ne le réalisez probablement pas, mais savoir se tourner vers les autres pour leur demander quelque chose est fondamental. Tous les gens qui réussissent leur vie ont cette compétence.

— J'en ai peut-être d'autres qui compensent celle-ci que je n'ai pas...

— Il faut absolument que vous l'acquériez. On ne fait pas grand-chose dans la vie si on ne sait pas aller vers les autres et demander un soutien, un appui, de l'aide, des conseils, des contacts. Avant de nous séparer tout à l'heure, je vous confierai une mission pour vous faire évoluer sur ce point.

J'acceptai en priant qu'il ne s'agisse pas de gravir une nouvelle montagne ou de traverser un bras de mer en slalomant entre les requins.

— À propos de ce que je dois apprendre pour monter mon projet, il y a quelque chose qui risque de me poser problème.

— Quoi?

— Il est impossible de s'occuper seul d'un studio, notamment parce que, lorsqu'on est sur le terrain, il n'y a plus personne pour accueillir les clients et répondre au téléphone. Il faudrait donc que j'embauche une ou deux personnes. C'est là que ça se gâte.

— Que voulez-vous dire?

— En fait, s'il y a une chose que je crains, c'est bien de ne pas être fait pour animer des hommes.

– Comment le savez-vous ? me demanda-t-il, un brin amusé.

– Mon directeur a dû s'absenter une journée, et il m'a demandé de le remplacer pour qu'en cas de besoin, il y ait un responsable présent dans l'établissement. Et, comme par un fait exprès, c'est arrivé. Un de mes collègues enseignant a eu un malaise, et j'ai dû répartir ses élèves dans les autres classes. Mais chaque classe avait ses horaires propres, et il fallait que les élèves que je confiais à chaque enseignant restent jusqu'à l'heure prévue dans leur classe d'origine. Certains enseignants ont protesté, refusant de faire des heures supplémentaires non planifiées d'avance. J'ai dû essayer de négocier avec chacun. En vain. Cela s'est terminé en cauchemar : j'ai fini par rassembler tous les élèves dans ma classe, qui était pourtant trop petite pour accueillir tout le monde. Certains se sont mis à pleurer. Je ne pouvais plus rien gérer, ça partait dans tous les sens. Le lendemain, je pouvais lire le mépris sur le visage de mon directeur. Je me suis dit que je ne renouvellerais jamais l'expérience d'animer des hommes.

– Vous avez eu une fois des difficultés dans ce domaine et vous en concluez que vous n'êtes pas fait pour cela ?

– Plus que des difficultés : un échec.

– Vous n'avez jamais essayé de recommencer ?

– Je m'en suis bien gardé.

– Vous avez déjà observé un bébé qui apprend à marcher ?

– Je vous remercie pour la comparaison.

– Les bébés ont énormément de choses à nous apprendre. Regardez un enfant qui apprend à marcher : vous croyez qu'il réussit du premier coup ? Il tente de se redresser et hop ! il tombe. C'est un échec cuisant, et pourtant il recommence immédiatement. Il se redresse à nouveau et... il retombe ! Un bébé va tomber en moyenne deux mille fois avant de savoir marcher.

Il sourit et ajouta :

– Si tous les bébés étaient comme vous, les villes grouilleraient de gens qui rampent à quatre pattes.

– Bref, vous êtes en train de me dire que je me suis encore une fois bâti une bonne petite croyance limitante sur la base d'un insuccès.

– Oui, et vous avez sans doute besoin de suivre une vraie formation en management.

– Comme je vous le disais, cela me prendrait du temps et de l'argent, et je n'ai ni l'un ni l'autre en profusion.

– Je ne pense pas que cela en nécessite plus que des vacances à Bali.

— Je n'aime pas toucher à mes vacances ni à mes week-ends. Les congés, pour moi, c'est sacré.

— C'est à vous de choisir ce qui est le plus important pour vous : réaliser votre rêve, ou profiter de vos congés, dit-il sur un ton parfaitement neutre qui me laissait libre de mon opinion.

— Je veux réaliser mon rêve, mais j'aurais du mal à me passer de mes vacances !

— Vous disiez que la réalisation de ce rêve vous rendrait heureux. Les vacances vous rendent-elles heureux ?

— C'est beaucoup dire. Disons qu'elles m'apportent du plaisir, et que j'y suis attaché.

— Il y a des circonstances où l'on est amené à faire des choix, donc à renoncer à des choses auxquelles on tient, pour aller vers ce que l'on a le plus à cœur, dit-il le plus simplement du monde.

— Je déteste renoncer à quoi que ce soit.

— Si vous ne renoncez à rien, vous vous abstenez de choisir. Et quand on s'abstient de choisir, on s'abstient de vivre la vie que l'on voudrait.

Il avait dit cela doucement, avec un regard plein de bonté. Moi qui avais souvent eu l'impression qu'éviter de décider m'épargnait des souffrances, j'avais maintenant le sentiment que je contribuais ainsi à mon propre malheur.

— Comprenez-moi bien, continua-t-il, je ne suis pas en train d'essayer de vous convaincre de ne plus prendre de vacances. Je voudrais juste que vous preniez conscience que l'on ne peut pas réaliser le rêve de sa vie si l'on n'est pas prêt à faire des efforts et, si nécessaire, quelques sacrifices.

Cela semblait évidemment être du bon sens, et pourtant on ne devenait pas, sur simple décision, capable d'efforts et de sacrifices... J'avais même le sentiment que certaines personnes étaient nées ainsi, affublées d'une telle aptitude. Ce n'était clairement pas mon cas...

— Suivre sa voie afin de pouvoir ensuite se réaliser pleinement, c'est parfois comme de gravir une montagne : tant qu'on ne l'a pas fait, on ignore que les efforts que cela exige accentuent la satisfaction que l'on ressent à l'arrivée. Plus les efforts sont grands, plus intense sera le bonheur, et plus longtemps il restera gravé en nous.

Je reçus le message cinq sur cinq, et lui fus reconnaissant de s'être abstenu de commentaires explicites sur ma dérobade devant l'ascension du mont Skouwo.

— Il faudra que je trouve le moyen, dit-il comme s'il se parlait à lui-même, de vous amener à considérer le choix, l'effort et le sacrifice...

J'avais quand même de la chance que cet homme s'intéresse à moi au point de réfléchir au moyen de contourner mes manquements à mes engagements, et ce afin de me permettre, malgré tout, d'apprendre ce que j'avais à apprendre !

— Nous allons en rester là pour aujourd'hui, reprit-il, mais d'ici demain, je voudrais que vous vous projetiez en pensée dans quelques mois, en imaginant que vous avez fini par acquérir toutes les compétences qui vous manquent à l'heure actuelle. Je veux que vous vous mettiez dans la peau d'un photographe, et que vous me disiez comment vous vous sentez.

— D'accord.

— Une dernière chose : j'avais promis de vous confier une tâche à accomplir, afin de vous débarrasser de cette peur d'aller vers les gens pour leur demander de l'aide, cette peur d'être rejeté.

— Oui.

— Eh bien, voilà : nous nous reverrons demain, et d'ici là vous allez vous adresser à des personnes de votre choix et leur demander des choses, n'importe quelles choses, mais avec un objectif en tête.

— Lequel ?

— Celui d'obtenir une réponse négative de leur part.

— Pardon ?

— Vous m'avez bien entendu : vous devez vous arranger pour que les gens à qui vous vous adresserez rejettent votre demande. Plus précisément, vous devez les amener à vous dire clairement « non ». Elles doivent prononcer ce mot. Et votre mission est d'obtenir cinq « non » d'ici demain.

— Ça ne devrait pas être trop difficile...

— Alors amusez-vous bien. Je vous attends ici demain matin, dit-il en amorçant un mouvement de départ.

— Juste une chose : je quitte Bali samedi pour rentrer chez moi.

— Déjà ? J'avais prévu que l'on se voie encore trois ou quatre fois.

— C'est possible demain et vendredi, mais samedi, j'ai mon avion dans l'après-midi. Ou alors on pourrait se voir le matin ?

— Samedi, je ne suis pas facilement disponible le matin.

— Dommage... C'est vraiment pas de chance !

— Si vous tenez à ce que l'on se voie une dernière fois samedi, il vous suffit de changer votre billet d'avion et de rentrer dimanche ! dit-il comme une évidence.

— Pas si simple : le type de billet que j'ai nécessite un surcoût important pour tout changement de date. Et puis je reprends le travail lundi. Le vol est si long que cela m'obligerait à aller directement de l'aéroport à ma classe. Je préférerais éviter...

– Nous verrons demain s'il vous reste des choses importantes à découvrir et s'il est vraiment nécessaire de se revoir samedi.

13

J'eus brutalement conscience du peu de temps qu'il me restait avant mon départ, et j'eus envie de passer à l'action sur-le-champ. J'avais réalisé pendant cette séance que les tâches qu'il me prescrivait entre deux entrevues n'étaient pas anodines, et j'avais maintenant à cœur d'accomplir celles qu'il m'avait dictées ce jour-là.

Je n'étais certes pas enthousiaste à l'idée de faire ce que je détestais : m'adresser à des gens pour leur demander de faire quelque chose pour moi, mais j'étais curieux de voir ce que cela allait effectivement m'apporter au bout du compte puisque, j'en étais désormais convaincu, tout ce que le guérisseur faisait était porteur de sens.

J'allai donc à Ubud, puisqu'il me fallait un endroit où je puisse trouver des Occidentaux;

m'adresser à des Balinais aurait été peine perdue : ces gens-là ne savent pas dire non.

Par quoi allais-je commencer? Il fallait que je formule des demandes de telle sorte qu'on me les refuse. Bref, je devais m'arranger pour aboutir au résultat que, d'habitude, je prenais grand soin d'éviter. J'allais donc entendre à cinq reprises le « non » sans appel de gens qui me débouteraient. Génial.

La rue principale était assez animée en ce milieu d'après-midi. Parfait : je cacherais plus facilement mes petites hontes successives.

— Taxi! Taxi!

Des Balinais hélaient les touristes un peu partout. L'un d'eux s'adressa à moi.

— Je n'ai pas d'argent sur moi : vous pouvez m'accompagner à Kuta gratuitement? avançai-je en riant.

— C'est cinquante mille roupies, vous paierez au retour, dit-il avec un grand sourire.

— Non, je n'ai pas d'argent, vous pouvez me l'offrir?

— Bon, vous êtes sympathique, pour vous ce sera trente mille roupies.

— Non. Gratuitement. Offert.

— D'accord pour vingt mille roupies.

— Non, je ne peux pas.

– Bon, on va à Kuta, et on discutera du prix ensemble, on se mettra d'accord. Allez, montez !

– Non, c'est pas grave, j'irai autrement, merci.

J'étais de moins en moins à l'aise.

– Mais si, montez, je vous dis qu'on se mettra d'accord !

– Ça va, merci, merci beaucoup.

– Allez, venez !

– Non, merci, j'ai changé d'avis, je ne vais plus à Kuta. Au revoir.

Il me regarda m'éloigner, amusé, l'air de dire : « Ils sont vraiment bizarres, ces Occidentaux. »

Bon, un coup pour rien. J'avais bien entendu cinq « non », mais c'était moi qui les avais prononcés ! D'ailleurs, pourquoi m'étais-je adressé à un Balinais alors que j'avais décidé que c'était inutile ? Sans doute par facilité : les Balinais étaient très doux, très gentils, et me mettaient plus à l'aise que mes compatriotes et leurs voisins. Je devais me rendre à l'évidence : j'avais tellement peur d'être rejeté que je préférais accroître la difficulté de l'exercice plutôt que de faire face à ma peur. Enfin, j'allais rassembler mon courage, affronter mon angoisse, recueillir vite fait mes cinq « non » et courir me planquer sur ma plage déserte.

Je regardai autour de moi. Nombreux étaient les passants qui allaient et venaient sur ces trottoirs étroits de la rue principale. Certains sortaient de galeries d'art pendant que d'autres entraient dans de beaux cafés au design post-colonial savamment étudié pour les Occidentaux. Les gens marchaient en prenant soin de ne pas piétiner les offrandes disséminées par terre.

Il fallait que je me jette à l'eau, quitte à demander n'importe quoi à n'importe qui. Je vis surgir devant moi une grosse Américaine, blonde, en jupe turquoise et chemisier rose vif laissant paraître la gorge profonde d'une énorme poitrine. Elle sortait d'un glacier avec, à la main, un gros cornet débordant de crème glacée.

— Magnifique, votre glace! lui dis-je.

— Succulente! répondit-elle, les yeux brillants de gourmandise.

Ses grosses lèvres rebondies luisaient, humidifiées par la glace qui en avait dépassé les contours.

— Vous me faites goûter? me forçai-je à demander.

— Oh! vous alors, vous êtes un coquin! dit-elle, les yeux pétillants, en arborant un sourire glouton.

Je lisais dans son regard que me laisser poser les lèvres sur la glace qu'elle léchait revenait presque à l'embrasser à pleine bouche.

— C'est oui ou c'est non?

– Mais c'est oui, mon mignon, répondit-elle en se rapprochant de moi et en me regardant goulûment.

– Non, je plaisantais, je plaisantais, dis-je, me forçant à rire.

– N'ayez pas peur, vous pouvez goûter. Allez-y.

– Non, merci, je disais ça comme ça... Juste comme ça... Allez, au revoir, bonne dégustation !

Je la laissai plantée là, incrédule, au beau milieu du trottoir, la main figée comme en catalepsie sur son cornet et la glace coulant lentement sur ses gros doigts bouffis.

Encore un échec. Et avec des dommages collatéraux. J'étais rouge pivoine, et je m'en voulais d'avoir peut-être blessé quelqu'un. Je hâtai le pas et bifurquai dans le premier chemin que je croisai sur ma gauche. J'en foulai la terre battue quelques instants en rassemblant mes esprits. Je me demandais quelle serait ma prochaine requête, lorsque je vis sur un portail en bois une pancarte annonçant « Pringga Juwita ». J'avançai et aperçus à travers la végétation dense les quelques bungalows d'un hôtel caché sous les arbres. Je m'approchais lorsque deux touristes franchirent le portail.

– Excusez-moi, leur dis-je, vous résidez à l'hôtel ?

– Oui.

– Moi, je suis dans l'est de l'île. Ma voiture vient de tomber en panne, elle ne sera pas réparée avant demain. Je n'ai absolument pas d'argent sur moi pour dormir à l'hôtel. Je sais que ma demande est incongrue, mais est-ce que par hasard vous accepteriez que je dorme cette nuit dans votre chambre ? Je ne voudrais pas passer la nuit dehors.

Ils se regardèrent un instant, surpris, puis l'un des deux me dit :

– Votre voiture est en panne ?

– Oui.

– Vous n'avez pas demandé au réparateur de vous loger ?

– Non.

– Les gens sont très hospitaliers ici, il pourra peut-être vous accueillir chez lui ou vous recommander auprès d'un de ses voisins. Moi, je voudrais bien, mais notre chambre est assez petite. Vous voulez que je demande à l'hôtel ? On y est depuis huit jours, ils commencent à bien nous connaître. Je sais qu'ils sont complets, mais ils connaîtront sûrement quelqu'un qui peut loger un ami de leurs clients.

– Non, je vais me débrouiller, merci, c'est très sympa.

– Comme vous voulez.

– Merci quand même.

– Bon courage.

– Merci. Au revoir.

Bon sang, ils ne pouvaient pas dire non, tout simplement ?! En les regardant disparaître au coin de la rue, je commençais à avoir l'impression que ça allait être plus dur que je ne croyais.

Un autre touriste quitta l'hôtel à cet instant, et je m'apprêtais à renouveler ma demande lorsque sa démarche féline, son style vestimentaire, la finesse de ses traits et la boucle d'oreille qu'il portait m'arrêtèrent dans mon élan : j'eus subitement peur qu'il acceptât ma proposition...

Je rebroussai chemin jusqu'à la rue principale. Toujours autant de monde. Il fallait que je trouve quelque chose de tellement énorme que les gens seraient obligés de refuser. Voyons... Voyons, voyons... De l'argent. Oui, c'est ça, de l'argent. Dès qu'on touche à leur porte-monnaie, les gens se mettent sur leurs gardes et deviennent beaucoup plus directs.

Je passai devant l'entrée de la Poste et m'adressai à la première personne qui en sortit. La cinquantaine, cheveux gris coupés très court, assez masculine, du genre affirmé qui n'a aucune difficulté à dire non : la proie idéale. Je l'aimais déjà.

– Excusez-moi de vous déranger, mais j'ai absolument besoin de passer un coup de fil important à
l'étranger. Je n'ai pas d'argent sur moi. Pourriez-
vous avoir la bonté de me donner cinq cents roupies pour que je puisse utiliser la cabine de la
Poste?

– Vous avez un coup de fil urgent? demanda-
t-elle sur un ton assez directif.

– Oui.

– Vous devez appeler où?

Elle me regardait droit dans les yeux en fronçant
les sourcils.

– Aux États-Unis.

– Vous en aurez pour longtemps?

J'avais un peu l'impression de subir un inter-
rogatoire de police.

– Oui, cinq minutes, peut-être six.

– Suivez-moi à mon hôtel, ordonna-t-elle. C'est
juste à côté. Moi, j'utilise la cabine de l'hôtel avec
une carte prépayée qui me coûte trois fois rien.
Mais vous pourrez l'utiliser trois minutes montre en
main, pas plus.

– Malheureusement, ça ne va pas suffire. Vous
accepteriez six minutes?

Je ne me reconnaissais plus. Jamais je n'aurais eu
le culot de demander cela auparavant, surtout à une

dame qui avait déjà l'extrême gentillesse d'accorder trois minutes de sa carte téléphonique pour dépanner un inconnu...

— Je suis sûre que vous y arriverez en trois minutes, allez! dit-elle en m'entraînant. Vous apprendrez à aller à l'essentiel. C'est très utile dans la vie!

Décidément, tout le monde voulait me donner des conseils sur ma vie.

— Non, mais... Je ne veux pas vous déranger en allant dans votre hôtel. Ne vous en faites pas, je me débrouillerai.

— Ça ne me dérange pas, affirma-t-elle, autoritaire, continuant d'avancer et me montrant le chemin.

— Mais vous en aurez sans doute besoin vous-même. Je ne veux pas entamer votre crédit de communications.

— Allez, cessez de vous poser des questions métaphysiques. Si ça causait un problème, je ne vous l'aurais pas proposé.

Dix minutes plus tard, j'appelais mon numéro personnel à la maison, pour dialoguer sur un ton empressé avec mon répondeur téléphonique. Je raccrochai au bout de deux minutes.

— Vous aviez raison : deux minutes ont suffi.

– Parfait ! Bon, vos affaires s'arrangent ? demanda-t-elle sur le ton d'un contrôleur des travaux finis.

– Oui, je ne sais comment vous remercier.

– Dans ce cas, ne me remerciez pas !

– Bon, ben... au revoir, bonne fin de séjour !

– Au revoir et souvenez-vous : dans la vie, il faut savoir aller droit au but !

Elle me regarda m'éloigner et, lorsque je me retournai dix mètres plus loin, elle souriait, manifestement contente d'elle-même... et très loin de se douter qu'elle avait agi à l'inverse de mes intérêts.

J'entrai abattu dans le premier café pour me rafraîchir. À ce rythme-là, il me faudrait une semaine pour rassembler mes cinq « non ». C'était déprimant. Une fois la porte franchie, la tranquillité du Yogi's contrasta brutalement avec ma lassitude et m'enveloppa instantanément de bien-être. Lumière atténuée par d'élégants stores vénitiens en bois, fauteuils bas, tables basses, musique de Shaaban Yahya à bas volume, clients parlant à voix basse : le lieu idéal pour me poser quelques minutes et me ressourcer. Je commandai un thé glacé en m'enfonçant dans l'un des fauteuils, laissant retomber la tension accumulée. Je laissai mes paupières se fermer quelques instants et libérai l'air contenu dans mes poumons en un long soupir silencieux. J'avais l'impression d'avoir oublié de le renouveler depuis une heure. L'air neuf que j'inspirai me rafraîchit les narines, et la douceur de ses senteurs de thé et d'encens mêlées me berça. Il irradiait du bien-être en moi en parcourant mes bronches jusqu'à leurs plus infimes ramifications. Je restai un moment ainsi, comme en apesanteur, me vidant l'esprit.

Lorsque je les rouvris, je vis, telle une apparition, une jeune femme assise sur un pouf à quelques mètres de moi. J'aurais juré qu'elle n'était pas là quand j'étais entré, à moins qu'elle ne fût déjà installée et que le tourment de mon esprit ne me l'eût rendue invisible jusqu'à ce que je me détende. Elle était très mince et son dos étroit, que je voyais de profil, marquait une cambrure naturelle accentuée. Ses longs cheveux châtains étaient attachés sur sa nuque, dévoilant celle-ci suffisamment pour que j'en aperçoive la finesse. Elle était absorbée par un livre qui reposait sur la table basse, et sa main droite tournait machinalement la petite cuillère dans la tasse de thé fumant. Je l'observai longuement, admirant sa grâce naturelle. Elle s'interrompit pour porter la tasse à ses lèvres, de jolies lèvres rebondies qui me faisaient penser à une framboise. Elle reposa la tasse en tournant délicatement la tête de mon côté, et son regard se posa sur moi comme si, consciente de ma présence, elle avait attendu le moment voulu pour me prêter attention. Ses yeux rencontrèrent les miens et ne les quittèrent plus pendant un temps qui me parut une éternité. Mon regard était tellement happé par le sien que je n'osais même plus cligner des paupières. J'avais l'impression que la distance qui nous séparait s'amenuisait comme sous l'effet d'un zoom que l'on actionne, et tout ce qui était autour de nous avait basculé dans le flou, ou disparu. J'étais entouré par le néant face à l'œil d'un cyclone de beauté qui m'aspirait, tel un trou noir. La musique ambiante me semblait lointaine et, en même temps, elle aurait pu provenir de l'intérieur de moi-même. La jeune femme ne souriait pas, et son visage était parfaitement immobile. Seules ses délicates narines se soulevaient imperceptiblement au rythme de sa respiration. Il aurait été vain de tenter de décrypter ses pensées, de comprendre ce que signifiait son regard. Ce que nous vivions était au-delà des pensées, au-delà du langage, au-delà de la compréhension. Son âme parlait à mon âme, qui lui répondait. Cela ne regardait qu'elles, et il était inutile de chercher un sens à ce qui nous dépassait. D'ailleurs, je n'avais envie de rien, besoin de rien. Je n'étais plus moi, j'étais au-delà de moi. J'avais peut-être atteint, pour quelques instants, cette dimension où les êtres se rejoignent et communient sans parler.

Je vécus une telle distorsion du temps que je fus incapable *a posteriori* de savoir combien cela avait duré. Le contact fut interrompu par un serveur qui m'apporta l'addition en engageant la conversation. Le temps de répondre, de chercher mon argent, de payer, de recevoir la monnaie... elle n'était plus là. Elle avait disparu comme elle était apparue. Je sentis qu'il était inutile de la chercher, de me précipiter au-dehors, d'interroger les personnes présentes. La retrouver, entrer en relation, lui parler, tout cela n'aurait fait que ramener sur le plan terrestre ce que nous avions vécu à un niveau plus spirituel. Et puis, on ne peut rien ajouter à la perfection sans l'abîmer, s'en éloigner et finalement la perdre. Et, de toute façon, la perfection ne peut servir de fondations à une relation. On ne bâtit rien dessus. La vie est tout sauf perfection.

Je restai un certain temps au Yogi's avant de me rappeler ma tâche. Je sortis et passai l'heure qui suivit à m'adresser à diverses personnes pour formuler différents types de demandes, allant de plus en plus loin dans l'inacceptable. Pourtant, jamais je ne parvins à recueillir un « non » franc et massif. Soit les gens accédaient partiellement à ma requête, soit ils cherchaient à trouver un moyen indirect de répondre quand même au besoin que je formulais. J'allais finir la journée assez dépité, moi qui avais eu la ferme intention de mener à bien cette tâche. Heureusement, celui que j'aperçus soudain au coin de la rue allait sauver mon honneur en m'empêchant de rentrer bredouille.

– Hans! Hans! l'interpellai-je de loin. Hans, peux-tu me prêter de l'argent?

14

Je rentrai au bungalow en savourant cette victoire facile. C'était la première fois de ma vie que j'avais senti le plaisir m'envahir en voyant un visage se fermer, le regard se glacer, les sourcils se froncer jusqu'à former une ride profonde au-dessus du nez, les lèvres se serrer.

J'avais eu l'impression que la scène s'était déroulée au ralenti, un ralenti extrême permettant de jouir de chaque millième de seconde, image par image, et je me souviens de chacune d'elles comme si c'était hier : je revois sa bouche se rouvrir et, au moment précis où la langue quittait le palais, son souffle avait projeté un son sec qui avait claqué l'air comme un fouet, formant le mot magique du rejet, ce mot que j'avais désespérément cherché à collecter tout l'après-midi. J'aurais aimé filmer la scène pour me la repasser en boucle.

J'avais failli tendre les bras en l'air et lever le regard au ciel en tombant à genoux, comme le font les champions de tennis qui viennent de remporter la balle de match de la finale d'un tournoi du grand chelem. J'aurais aussi pu me jeter à son cou et l'embrasser avec reconnaissance. Je m'étais contenté de sourire et de le regarder en silence, attendant le plaisir de le voir justifier sa position avec une excuse bidon ou une morale à deux balles. Quand je lui avais dit que c'était une plaisanterie, que je n'avais pas besoin d'argent, il avait ri, du rire forcé de celui qui est soulagé mais a conservé la crispation induite par la demande initiale.

Porté par ma victoire, j'avais marqué un deuxième point dans la foulée en téléphonant à l'agence de voyages de Kuta, où l'on m'avait dit clairement que NON, il n'était pas possible de changer mon billet d'avion sans m'acquitter d'une pénalité de six cents dollars. Je n'avais jamais accueilli d'aussi bonne humeur une si mauvaise nouvelle.

Dans l'enthousiasme du moment, j'étais parvenu à joindre mon ancien directeur. Je n'avais pas calculé le décalage horaire et j'avais eu l'impression de le tirer du lit : il avait une voix endormie, avec la pointe d'inquiétude que l'on a lorsque le téléphone sonne au milieu de la nuit et que l'on se demande quelle terrible nouvelle peut justifier que l'on vous extirpe du sommeil à une heure pareille. Je lui avais parlé de mon projet avec enthousiasme, sans prêter attention au contraste entre mon excitation et sa somnolence. Il m'avait écouté sans broncher et, lorsque je lui avais demandé s'il accepterait de me consacrer un peu de temps pour me transmettre divers aspects de son savoir-faire, il avait acquiescé, sans doute soulagé que je n'appelle pas pour lui annoncer la mort de sa grand-mère ou l'explosion de son école dans un attentat terroriste.

Deux sur cinq était au final un score honorable pour un néophyte, et ce fut confiant et serein que je rejoignis ma plage où je consacrai la soirée à ma seconde tâche : m'imaginer dans la peau d'un photographe, m'introspectant pour écouter mon ressenti sur cette nouvelle identité professionnelle.

Mon bain de nuit fut un délicieux moment de lâcher prise, de détente et de bonheur, après cette journée harassante mais victorieuse.

15

— Alors, était-ce aussi facile que vous l'imaginiez, de rassembler des « non » ?

— Ma foi, non, je l'avoue.

Il sourit, tout en s'asseyant sur sa natte dans la position du lotus. Je le regardai, heureux d'être à nouveau face à lui. J'aimais son visage serein, imperturbable. Le visage de quelqu'un qui n'attend rien de plus de la vie, qui ne convoite rien, n'a pas de désirs particuliers. Quelqu'un qui se contente d'être et qui offre cet état aux autres, tel un modèle que l'on peut suivre si on le souhaite.

— Les personnes qui ont peur du rejet, reprit-il, sont très loin de réaliser qu'il est rare d'être repoussé par les autres. C'est même presque difficile à obtenir. Les gens sont, dans l'ensemble, plutôt enclins à vous aider, à ne pas vous décevoir, à aller dans le sens de ce que vous attendez d'eux. C'est précisément lorsque l'on craint d'être rejeté que l'on finit par l'être, suivant le mécanisme des croyances que vous avez maintenant appris à connaître.

— C'est vrai.

— Quand on apprend à aller vers les autres pour leur demander ce dont on a besoin, c'est tout un univers qui s'offre à nous. La vie, c'est s'ouvrir aux autres, pas se refermer sur soi. Tout ce qui permet de se connecter aux autres est positif.

Je repensai à ma connexion avec Hans, la veille... Après tout, j'avais quand même passé un bon moment, et, en fin de compte, je reconnaissais qu'il était plus à plaindre qu'à mépriser.

— Je crois que vous avez raison, en effet.

— Alors, êtes-vous parvenu à vous imaginer dans la peau de celui que vous envisagez de devenir ?

— Eh bien, justement, je voulais vous en parler : j'ai un problème à ce sujet.

— C'est bien d'en avoir pris conscience avant de vous lancer dans le projet...

— Oui, c'est sûr, tant qu'à faire...

— Qu'est-ce qui vous pose problème ?

— Quand je m'imagine dans la peau d'un photographe, c'est-à-dire d'un artiste, je ne me sens pas tout à fait à l'aise avec cette idée.

— Qu'est-ce qui vous gêne précisément ? demanda-t-il sur un ton invitant à la confidence.

— Eh bien, je suis issu... comment dire ?... d'une famille qui ne valorise que les professions intellectuelles. Mes parents m'ont poussé à faire des études supérieures. Je dirais même que je n'ai pas eu le choix. Dans ma famille, on est respecté si l'on est scientifique ou enseignant, c'est à peu près tout. Les autres métiers sont considérés comme peu sérieux. Alors, photographe...

— Ils ont le droit d'avoir cette opinion, et vous avez le droit de faire ce que vous voulez de votre vie.

— Bien sûr, et il est clair qu'à mon âge, je n'ai pas de comptes à leur rendre, mais ça leur ferait un tel choc ! J'ai peur qu'ils soient tristes.

— Sont-ils tristes, aujourd'hui, de vous savoir peu épanoui dans votre métier ? Sont-ils venus vous trouver pour vous réconforter ?

— Non, pas vraiment.

— S'ils vous aiment, que croyez-vous qu'ils préféreront : que vous soyez un enseignant malheureux ou un photographe épanoui ?

— Vu comme ça...

— C'est comme ça qu'il faut le voir : si on aime les gens seulement quand ils se comportent conformément à nos idéaux, ce n'est pas de l'amour... C'est pour cela que je crois que vous n'avez rien à craindre de la part de ceux qui vous aiment. Même au sein d'une famille aimante, chacun doit vivre sa vie. C'est bien de prendre en considération les effets de ce que l'on fait sur les autres afin de ne pas leur nuire, en revanche, on ne peut pas toujours tenir compte de leurs souhaits, et encore moins de la façon dont ils vont apprécier vos actions. Chacun est responsable de sa propre appréciation. Vous n'êtes pas responsable des opinions d'autrui.

Il avait sans doute raison, mais quelque chose continuait de me gêner.

— En fait, je me demande dans quelle mesure ma famille ne m'a pas « contaminé » : même si ce projet m'enthousiasme, je ne suis pas complètement à l'aise avec le fait de quitter le camp des scientifiques pour rejoindre celui des artistes !

— Je pense qu'il est inopportun de raisonner en termes de camps, et plus encore en termes d'appartenance à un camp. Il ne s'agit pas pour vous de quitter un camp pour en rejoindre un autre, mais juste de réaliser un projet qui vous tient à cœur.

Je demeurai pensif, certes assez touché par ses paroles, mais je crois qu'il sentit que je restais quand même un peu bloqué par la situation.

— Venez avec moi, dit-il en se levant lentement.

À la façon dont il bougea, je pris conscience, pour la première fois, de son grand âge, une impression qui disparaissait quand il s'exprimait, tant il maniait le verbe avec précision et sérénité.

Je me levai à mon tour et le suivis. Il contourna les différents édifices qui constituaient le campan, puis emprunta un sentier qui serpentait dans la végétation, une végétation tellement dense que l'on ne pouvait distinguer les contours du jardin. Nous marchâmes plusieurs minutes en silence, l'un derrière l'autre, puis le chemin s'élargit et je m'avançai à sa hauteur. De minuscules parcelles étaient cultivées çà et là, soigneusement entretenues : probablement des plantes médicinales, certaines offrant de microscopiques fleurs jaunes ou bleues. Après avoir traversé un taillis de bambous géants et touffus à la senteur verte, nous plongeant dans la pénombre et nous enveloppant d'une humidité moite, le sentier déboucha brutalement sur une corniche surplombant vertigineusement la vallée. Je savais que le village était juché sur une hauteur, mais j'étais loin de m'imaginer que le fond du jardin de maître Samtyang dominait à ce point la vallée qui s'étendait sur des kilomètres, deux ou trois cents mètres en contrebas. Cette vue plongeante et aérienne – nous étions comme suspendus au-dessus du vide – contrastait fortement avec le reste du jardin, où la densité de la végétation empêchait toute visibilité dégagée. Nous

nous assîmes côte à côte sur un rocher, les pieds ballants dans le vide, et restâmes silencieux plusieurs minutes, contemplant ce paysage grandiose qui me faisait me sentir tout petit. C'est le guérisseur qui finit par rompre le silence de sa voix posée et bienveillante.

— Que voyez-vous dans les rizières ?

On apercevait au loin, tout en bas, des dizaines de paysans, les pieds dans l'eau jusqu'à mi-mollet, le dos courbé et les mains tendues vers les plants de riz.

— Je vois un ensemble de travailleurs s'activant dans les champs.

— Non, pas un ensemble de travailleurs.

— Un groupe de paysans, si vous préférez.

— Non, ni un ensemble, ni un groupe.

Bon, voilà qu'il joue sur les mots, me dis-je.

— Savez-vous, reprit-il, combien il y a d'êtres humains sur Terre ?

— Entre six et sept milliards.

— Et savez-vous de combien de gènes est constitué chaque être humain ?

— Je ne sais pas, quelques milliers ?

— Un peu moins de trente mille. Et parmi les six milliards d'êtres humains, il n'y en a pas deux qui rassemblent les mêmes gènes. Pas deux ! Vous vous rendez compte ? Sur six milliards d'êtres humains, il n'y en a pas deux qui soient identiques !

– Oui, chacun de nous est unique.

– Exactement! Et même si certains pratiquent le même métier, au même endroit, au même moment, on ne peut les considérer comme un groupe ni un ensemble, parce que, quels que soient les points qu'ils peuvent avoir en commun, il y aura toujours plus d'éléments qui les différencient que de points communs liés à leur métier!

– Je comprends ce que vous voulez dire.

– On a parfois tendance à raisonner par catégories, à considérer les gens comme s'ils étaient tous pareils au sein d'une catégorie, alors qu'en fait, dans ce champ en bas, il y a plusieurs dizaines de personnes ayant chacune une identité propre, une histoire propre, une personnalité spécifique, des goûts particuliers. Plus de la moitié d'entre elles vivent au village, et je les connais. Rien que du point de vue de leur motivation à faire ce travail, il existe des différences. L'un le fait parce qu'il aime être au contact de l'eau, alors que son voisin, lui, n'a pas le choix, un troisième le fait parce que cela lui rapporte un peu plus que son ancien métier, et un quatrième pour aider son père. Le cinquième parce qu'il aime prendre soin des plants et les voir pousser. Le sixième exerce ce métier parce que c'est la tradition dans sa famille et qu'il ne lui est pas venu à l'esprit de faire autre chose.

» Quand on raisonne par groupes, par ensembles, par camps, on fait abstraction des particularités, de la valeur et de l'apport de chaque individu, et on tombe facilement dans le simplisme et la généralisation. On parle des travailleurs, des fonctionnaires, des scientifiques, des paysans, des artistes, des immigrés, des bourgeois, des femmes au foyer. On bâtit des théories qui servent nos croyances. Et non seulement la plupart de ces théories sont fausses, mais elles poussent les gens à devenir ce que la théorie dit qu'ils sont.

– Je comprends.

– On fait un grand pas dans la vie quand on cesse de généraliser ce qui concerne les autres, et que l'on considère chacun individuellement, même s'il fait de toute façon partie d'un tout qui le dépasse, l'humanité et, même au-delà, l'univers.

Je regardai au loin la vallée qui s'étendait sur des kilomètres. En face de nous, de l'autre côté du vide, le relief offrait une autre colline, presque une montagne, qui s'élevait à peu près aussi haut que la nôtre, séparée par plusieurs centaines de mètres, formant ainsi comme un immense canyon au fond duquel se perdait la vallée. Certains nuages étaient plus bas que nous, tandis que d'autres nous surplombaient, nous donnant l'impression de flotter entre deux mondes.

Un léger souffle continu rendait la chaleur agréable, et nous apportait par vagues des effluves, senteurs lointaines que je n'aurais su identifier.

– Bon, revenons à nos moutons, dit-il.

– S'il te plaît, dessine-m'en un.

– Pardon?

– Non, rien, je plaisantais...

– En réalisant votre projet, puisqu'il vous tient à cœur, vous ne rejoindrez pas une catégorie de gens, vous serez juste vous-même, exprimant vos talents, en accord avec vos valeurs.

– C'est vrai, je dois garder ça à l'esprit.

– Oui.

– Vous savez, j'ai déjà un peu parlé de ce projet à deux personnes de mon entourage, et je dois dire qu'elles m'ont un peu refroidi.

– Pourquoi?

– L'une m'a dit que la profession était sûrement fermée et que je n'arriverais pas à y faire ma place en débarquant comme ça, sans diplômes ni relations. L'autre m'a objecté qu'on ne montait pas ce genre d'activité du jour au lendemain en démarrant sans clientèle, et que je n'avais pratiquement aucune chance de réussir.

– Toutes les personnes qui ont l'idée d'un projet rencontrent ce problème.

– C'est-à-dire ?

– Quand vous parlez d'un projet autour de vous, vous recevez trois types de réactions : les neutres, les réactions d'encouragement et les réactions négatives qui tendent à vous faire renoncer.

– C'est clair...

– Il faut à tout prix vous éloigner des personnes dont vous sentez qu'elles pourraient vous décourager. En tout cas, ne leur confiez pas vos projets.

– Oui, mais, d'un certain côté, cela peut être utile que des gens vous ouvrent les yeux si vous faites fausse route.

– Pour cela, adressez-vous uniquement à des connaisseurs dans le domaine qui vous intéresse. Mais il ne faut pas vous confier aux personnes qui chercheraient à vous décourager juste pour répondre à leurs propres besoins psychologiques. Par exemple, il y a des gens qui se sentent mieux quand vous allez mal, et qui font donc tout pour que vous n'alliez pas mieux ! Ou d'autres qui détesteraient vous voir réaliser vos rêves car cela leur rappellerait leur absence de courage pour réaliser les leurs. Il existe aussi des gens qui se sentent valorisés par vos difficultés parce que cela leur donne l'occasion de vous aider. Dans ce cas, les projets qui viennent de vous leur coupent l'herbe sous le pied, et ils feront ce qu'ils peuvent pour vous en dissuader. Cela ne sert à rien de leur en vouloir car ils font cela inconsciemment. Mais il est préférable de ne pas leur confier vos plans. Ils vous feraient perdre votre confiance en vous. Vous vous souvenez qu'hier nous avons parlé du bébé qui apprend à marcher et ne se décourage jamais, malgré ses échecs à répétition?

– Oui.

– S'il persévère et finit par réussir, c'est notamment parce qu'aucun parent au monde ne doute de la capacité de son enfant à marcher, et aucune personne au monde ne va le décourager dans ses tentatives. Alors qu'une fois adulte, nombreux seront les gens qui vont le dissuader de réaliser ses rêves.

– C'est sûr...

– C'est pour cela qu'il convient de vous éloigner de ces personnes-là ou de ne pas leur parler de vos projets. Sinon, vous rejoindrez les millions de gens qui n'ont pas la vie qu'ils désiraient.

– Je comprends.

– En revanche, il est très positif d'avoir dans votre entourage une ou deux personnes qui croient en vous.

– Qui croient en moi?

– Quand on se lance dans un projet qui représente un certain enjeu, par exemple quand on aspire à changer de métier, on passe forcément par des hauts et des bas. On y croit, on en a envie, et puis, d'un seul coup, on a des doutes, on n'y croit plus, on ne se sent plus capable, on a peur du changement, de l'inconnu. Si l'on est seul dans ces moments-là, il y a de fortes chances que l'on renonce, que l'on abandonne. S'il y a dans votre entourage une personne qui croit en vous, qui croit en votre capacité de réussir votre projet et vous le fait sentir quand vous la voyez, cela balayera vos doutes, et vos peurs s'effaceront comme par magie. La confiance en vous que cette personne vous témoignera sera contagieuse. Elle vous insufflera la force de réussir et vous donnera l'énergie de déplacer des montagnes. On est quinze fois plus fort quand on n'est plus seul avec son projet. Mais comprenez-moi bien : il n'est pas nécessaire que cette personne vous aide ou vous donne des conseils. Non, ce qui compte avant tout, c'est juste qu'elle croie en vous. D'ailleurs, vous seriez surpris de connaître le nombre de gens célèbres qui ont bénéficié d'un tel soutien initial.

— Je ne suis pas sûr d'avoir une personne comme ça sous la main...

— Dans ce cas, pensez à quelqu'un de plus éloigné, peut-être un aïeul ou un ami d'enfance, même si vous ne le voyez pas souvent. Si vraiment vous ne trouvez pas, vous pouvez aussi penser à une personne disparue, qui vous a aimé de son vivant. Pensez à elle et dites-vous : « Je sais que là où elle est, si elle me voit monter ce projet, elle croit en moi. » Dès que vous avez des doutes, pensez à elle et voyez-la vous encourager car elle sait que vous allez réussir.

— Alors je choisirai ma grand-mère. J'ai toujours vu dans son regard qu'elle était fière de moi. Quand il m'arrivait d'avoir de mauvaises notes à l'école, mes parents me réprimandaient, mais elle, elle me disait : « C'est pas grave, je sais que tu auras une bonne note la prochaine fois. »

— C'est une bonne illustration. Il y a aussi des gens qui croient en Dieu et obtiennent de lui la force d'agir. Napoléon était, quant à lui, convaincu qu'il avait une bonne étoile. Lors de la plupart de ses batailles, même lorsqu'elles étaient mal engagées, il restait persuadé qu'il gagnerait, avec l'aide de cette bonne étoile. Cela l'a énormément stimulé et lui a fourni un courage souvent déterminant.

— Quand j'étais petit, j'avais une amie qui adorait son chat, elle disait qu'elle voyait dans son regard qu'il la soutenait en toutes circonstances. Ses parents étaient sévères et froids. Lorsqu'elle avait du chagrin, ils n'étaient pas du genre à la consoler. Alors elle allait voir son chat, le caressait et lui racontait ses malheurs. Lui la regardait dans les yeux en ronronnant, de son regard profond et bienveillant, et il lui redonnait confiance en elle.

— C'est très possible. Un animal a souvent un amour inconditionnel pour son maître, et cet amour peut le porter considérablement. Vous savez, on commence à mener des recherches scientifiques sur l'amour, et on découvre des choses extraordinaires. Dans une université américaine, des chercheurs qui cultivaient des cellules cancéreuses dans une boîte de Petri ont eu l'idée de faire venir des étudiants – aux États-Unis, ceux-ci servent souvent de cobayes – dans leur laboratoire. Ils les ont rassemblés autour de la boîte et leur ont demandé d'« envoyer de l'amour » aux cellules cancéreuses. Les étudiants l'ont fait, et les chercheurs ont mesuré scientifiquement que les cellules cancéreuses régressaient. Ils n'ont pas été capables d'expliquer ce phénomène, pas plus d'ailleurs qu'ils ne peuvent dire comment, concrètement, les étudiants font pour « envoyer de l'amour », mais le résultat est là, indiscutable : les cellules ont régressé.

— C'est fou.

— Oui, l'amour a sans aucun doute de nombreux effets que l'on commence à peine à découvrir. Mais la plupart des scientifiques n'affectionnent pas ce genre d'expériences, car ils détestent mettre en évidence des phénomènes qu'ils ne sont pas capables ensuite d'expliquer. Il faut reconnaître que c'est frustrant, si l'on se met à leur place.

» Moi qui suis maintenant au seuil de ma vie, je deviens convaincu que l'amour est la solution à la plupart des problèmes que rencontrent les êtres humains dans leur vie. Cela peut sembler une idée simple, convenue, et pourtant pratiquement personne ne la met en œuvre, car il est souvent difficile d'aimer.

– Disons qu'il y a des gens qu'on n'a vraiment pas envie d'aimer. J'ai même l'impression parfois que certains font tout pour ne pas être aimés !

– Certains sont méchants car ils ne s'aiment pas eux-mêmes. D'autres sont pénibles parce qu'ils ont beaucoup souffert et veulent le faire payer à la terre entière. Quelques-uns, parce qu'ils se sont fait avoir par des gens et croient se protéger par une attitude désagréable. Certains ont été tellement déçus par les autres qu'ils ont refermé leur cœur en se disant qu'ils ne seraient plus déçus à l'avenir s'ils n'attendaient plus rien des autres. D'autres sont égoïstes car ils sont persuadés que tout le monde l'est, et ils croient alors qu'ils seront plus heureux s'ils passent avant les autres. Le point commun entre tous ces gens est que, si vous les aimez, vous les surprenez, car ils ne s'y attendent pas. La plupart, d'ailleurs, refuseront d'y croire au début, tellement cela leur semble anormal. Mais si vous persévérez et le leur démontrez, par exemple dans des actes gratuits, cela peut bouleverser leur façon de voir le monde et, accessoirement, leurs relations avec vous.

— Je veux bien l'admettre, mais ce n'est pas facile d'aller vers des personnes comme ça en ayant des sentiments positifs à leur égard.

— C'est plus facile si vous savez qu'un autre point commun entre tous ces gens est qu'il y a néanmoins une intention positive derrière chacun de leurs actes. Ils croient que ce qu'ils font est la meilleure chose à faire, voire la seule possible. C'est pour cela que, même si ce qu'ils font est critiquable, ce qui motive leurs comportements est souvent compréhensible.

» Pour pouvoir aimer une telle personne, distinguez-la de ses actes. Dites-vous que, malgré son attitude détestable, il y a quelque part, au fond d'elle, peut-être très enfoui et sans qu'elle le sache elle-même, quelque chose de bien. Si vous parvenez à percevoir ce quelque chose et que vous l'aimez, vous amènerez cette personne à entrer en contact avec cette petite part d'elle-même.

» Vous savez, l'amour est la meilleure façon d'obtenir un changement chez l'autre. Si vous allez vers quelqu'un en lui reprochant ce qu'il a fait, vous le poussez à camper sur sa position et à ne pas écouter vos arguments. Se sentant rejeté, il rejettera vos idées. Si, à l'inverse, vous allez vers lui en étant convaincu que, même si ce qu'il a fait ou dit est désastreux, il est, au fond de lui, quelqu'un de bien et qu'il avait une intention positive en le faisant, vous l'amenez à se détendre et à s'ouvrir à ce que vous voulez lui dire. C'est la seule façon de lui offrir une chance de changer.

— Cela me rappelle un fait divers que j'ai entendu à la radio, il y a quelques années. Cela se passait en France. Une femme avait été suivie jusqu'à son domicile par un violeur en série. Elle avait à peine ouvert sa porte qu'il s'était précipité, s'enfermant avec elle dans l'appartement. Il était armé, et elle, n'ayant rien pour se défendre et ne pouvant crier sous la menace de son arme, eut le réflexe de parler avec lui. Elle força la conversation, essayant en vain de le faire s'exprimer. Elle raconta que cela l'avait un peu déstabilisé, car il ne s'attendait pas à une telle attitude de la part de sa victime. Elle avait continué de parler, faisant les questions et les réponses, cachant tant bien que mal la frayeur qui s'emparait d'elle. À un moment, en désespoir de cause, elle eut une intuition salutaire en lui disant : « Mais je ne comprends pas pourquoi vous faites des choses comme ça alors que, pourtant, vous êtes quelqu'un de bien. » Elle a dit par la suite aux journalistes que son agresseur avait alors éclaté en sanglots, et lui avait raconté, en larmes, sa vie misérable, tandis qu'elle se forçait de l'écouter en continuant de masquer sa terreur. Elle avait fini par obtenir qu'il s'en aille de lui-même.

— Vous citez un cas extrême, mais il est vrai que les gens ont tendance à se comporter selon la façon dont on les voit, à s'identifier à ce que l'on perçoit en eux. Il faut comprendre que chacun de nous a des qualités et des défauts ; ce sur quoi l'on focalise son attention a tendance à prendre de l'ampleur, à s'étendre. Si vous braquez les projecteurs sur les qualités d'une personne, même si elles sont infimes, elles s'accentueront, se développeront jusqu'à devenir prépondérantes. D'où l'importance d'avoir dans votre entourage des gens qui croient en vous, en vos qualités et en vos capacités.

16

– Y a-t-il un autre aspect de ce projet qui vous retienne, ou pour lequel vous ne vous sentiez pas tout à fait en accord avec vous-même quand vous vous imaginez l'accomplir ?

– Oui, il y a un dernier point.

– Lequel ?

– Dans mon rêve, je gagnais de l'argent, suffisamment en tout cas pour pouvoir me payer une maison avec un jardin, et, en fait, je ne suis pas tout à fait à l'aise avec cette idée. Je ne suis pas sûr d'être fait pour gagner de l'argent, ni d'en avoir vraiment envie au fond de moi. Bref, il y a quelque chose qui me chagrine sur ce point.

– Nous y voilà !

– Pardon ?

– Je savais que tôt ou tard nous y viendrions.

– Pourquoi ?

— L'argent cristallise tous les fantasmes, toutes les projections, les peurs, les haines, l'envie, la jalousie, les complexes d'infériorité, de supériorité, et bien d'autres choses encore. Cela aurait été très étonnant que l'on n'ait pas à l'aborder ensemble.

— Je ne savais pas qu'un si petit mot cachait tant de choses !

— Allons, dites-moi tout : quel est votre souci concernant l'argent ?

Il conservait son ton bienveillant, mais j'y percevais en plus une touche d'amusement, comme s'il avait déjà tellement fait le tour de la question qu'il ne s'attendait nullement à être surpris par le problème que je m'apprêtais à lui exposer, quel qu'il fût.

— Disons que je suis un peu partagé sur ce sujet : c'est comme si une partie de moi avait envie de gagner de l'argent, et qu'une autre partie de moi n'en voulait pas, trouvait cela sale.

— Donc la question est : comment réconcilier ces deux parties de vous, n'est-ce pas ?

— C'est amusant de le formuler ainsi, mais on peut le dire, en effet.

— Alors, dites-moi, pour commencer, ce que veut cette partie de vous qui a envie de gagner de l'argent.

– Je pense que l'argent pourrait m'offrir une certaine liberté : j'ai le sentiment que plus on est riche, et moins on dépend des autres ; par conséquent on devient libre de son temps, de ses activités, sans avoir de comptes à rendre.

– Ce n'est pas complètement faux. Quoi d'autre ?

– Eh bien, m'assurer un certain confort matériel. J'ai la faiblesse de penser qu'il est plus facile d'être heureux dans une belle maison, au calme, que dans un sordide petit deux pièces orienté au nord dans un quartier bruyant et pollué.

– Il n'y a pas de mal à rechercher un certain confort matériel, et il est vrai qu'il peut faciliter les choses. Pour être plus précis, le confort matériel n'apporte pas le bonheur ; en revanche, son absence peut parfois altérer, troubler le bonheur.

– Ça me semble évident.

– Cependant, j'insiste sur le fait que ce qui est matériel ne peut pas apporter de bonheur. Beaucoup de gens sont d'accord avec cette idée, et parfois même l'affirment haut et fort, et pourtant, au fond d'eux, inconsciemment, ils croient quand même que cela les rendrait heureux. Ils vont alors dénoncer le comportement de ceux qui exhibent leurs richesses mais cette dénonciation sera en réalité teintée de jalousie parce qu'une partie d'eux-mêmes les envie et les croit plus heureux qu'eux. Cette croyance est très largement répandue, y compris parmi ceux qui affirment le contraire.

– Oui, c'est possible.

Je repensai à l'une de mes amies, qui critiquait si violemment les riches et ceux qui ne pensent qu'au matériel que c'en était louche. Son absence d'indifférence à leur égard témoignait sans doute d'un écho particulier que leur argent produisait en elle, et qui n'était peut-être pas anodin.

– En fait, c'est cette croyance elle-même qui rend malheureux, puisqu'elle pousse les gens à une course sans fin : on désire un objet, une voiture, un vêtement, ou n'importe quoi d'autre, et l'on se met à croire que la possession de cet objet nous comble-rait. On le convoite, on le veut, et finalement, si on en fait l'acquisition, on l'oublie très vite pour jeter son dévolu sur un autre qui, c'est sûr, nous comblera si on l'acquiert. Il n'y a pas de fin à cette quête. Les gens ne savent pas que s'ils roulaient en Ferrari, habitaient un appartement hollywoodien et voyageaient en jet privé, ils se convaincraient que c'est la possession du yacht qu'ils n'ont pas encore qui les rendrait heureux. Bien sûr, ceux qui sont loin de pouvoir rouler en Ferrari s'en offusquent et se disent qu'ils se contenteraient d'être juste un peu plus riches qu'ils ne sont. Ils ne demandent pas un appartement hollywoodien, non, mais seulement un appartement un petit peu plus grand, et ils sont convaincus qu'ils s'en satisferaient et n'auraient ensuite plus envie de rien. C'est là qu'ils se trompent : quel que soit le niveau matériel auquel on aspire, on désire plus dès qu'on l'a atteint. C'est vraiment une course sans fin.

Ses paroles avaient un écho particulier en moi, car elles me rappelaient les Noëls de mon enfance. J'étais tout excité en préparant ma lettre au père Noël, avec la liste des jouets que j'espérais. Pendant des semaines j'y pensais, attendant impatiemment le jour où je les posséderais enfin. Mon excitation atteignait son paroxysme le soir du réveillon : mes yeux ne quittaient plus le sapin au pied duquel j'imaginais déjà mon bonheur du lendemain. J'allais me coucher en percevant la nuit à venir comme interminable, et c'est reconnaissant que je découvrais l'heure sur mon réveil au petit matin. Le grand jour était enfin arrivé ! Lorsque je poussais la porte du salon et découvrais les paquets-cadeaux multicolores sous le sapin illuminé, j'étais empli d'une joie intense. Je déballais tout, haletant d'excitation, puis passais le plus clair de la journée à jouer avec ce que j'avais reçu, m'arrangeant toujours pour m'échapper de l'interminable repas familial, et laisser les adultes à leurs conversations ennuyeuses. Mais je me souviens que, le soir approchant, le soleil déclinant à l'horizon, ma joie se tarissait progressivement. Mes nouveaux jouets ne généraient déjà plus en moi le même élan de gaieté. J'en arrivais à envier mon excitation de la veille. J'aurais voulu la revivre. Je me rappelle m'être dit, une année, que mes rêves de jouets me rendaient finalement plus heureux que les jouets eux-mêmes. L'attente était plus jouissive que son dénouement.

J'en fis part au sage, qui me dit en souriant :

— Le plus grand mensonge des parents à leurs enfants ne porte pas sur l'existence du père Noël, mais sur la promesse tacite que ses cadeaux les rendront heureux.

Je regardai les paysans dans la vallée et me demandai si leurs traditions les amenaient aussi, une fois par an, à tenter d'apporter du bonheur à leurs enfants en les couvrant de cadeaux matériels.

— Vous m'avez fait part, reprit-il, des raisons qui motivent cette partie de vous désireuse de gagner de l'argent. Parlez-moi maintenant de cette autre partie de vous qui rejette cette idée.

— Je crois que l'argent en soi me répugne un peu. J'ai parfois l'impression qu'il n'y a plus que ça qui compte en ce bas monde, que l'argent devient le centre des préoccupations des gens.

— On assiste à une certaine dérive, en effet, et c'est dommage parce que l'argent est pourtant une belle invention.

— Pourquoi dites-vous cela?

— On oublie souvent qu'à l'origine l'argent n'est rien d'autre qu'un moyen pour faciliter les échanges entre les êtres humains : échanges de biens, mais aussi échanges de compétences, de services, de conseils. Avant l'argent, il y avait le troc. Celui qui avait besoin de quelque chose était dans l'obligation de trouver quelqu'un qui soit intéressé par ce qu'il avait à offrir en échange. Pas facile... Tandis que la création de l'argent a permis d'évaluer chaque bien, chaque service, et l'argent collecté par celui qui les a cédés lui offre ensuite la possibilité d'acquérir librement d'autres biens et services. Il n'y a aucun mal à cela. D'une certaine manière, on pourrait même dire que plus l'argent circule, plus il y a d'échanges entre les êtres humains, et mieux c'est...

— Vu comme ça, c'est fabuleux!

— C'est comme ça que cela devrait être. Mettre à la disposition des autres ce que l'on est capable de faire, le fruit de son travail, de ses compétences, et obtenir en échange de quoi acquérir ce que d'autres savent faire et pas soi. L'argent n'est d'ailleurs pas quelque chose que l'on devrait accumuler, mais que l'on devrait utiliser. Si l'on partait tous de ce principe, le chômage n'existerait pas, car il n'y a pas de limites aux services que les êtres humains peuvent se rendre mutuellement. Il suffirait de favoriser la créativité des gens et de les encourager à mettre en œuvre leurs projets.

— Mais alors, pourquoi l'argent devient-il quelque chose de sale, de nos jours ?

— Pour le comprendre, il faut d'abord saisir l'importance de deux éléments : comment on gagne de l'argent, et comment on le dépense. L'argent est sain s'il provient de la mise en œuvre de nos compétences, en donnant le meilleur de nous-mêmes. Il procure alors une réelle satisfaction à celui qui le gagne. Mais s'il est obtenu en abusant les autres, par exemple ses clients ou ses collaborateurs, alors cela génère ce que l'on pourrait appeler symboliquement une énergie négative — les chamans l'appellent la « Húcha » — et cette Húcha tire tout le monde vers le bas, pollue les esprits et, au final, rend malheureux le spolié comme le spoliateur. Ce dernier peut éprouver le sentiment d'avoir gagné quelque chose, mais il accumule en lui cette

Húcha qui l'empêchera de plus en plus d'être heureux. Cela se lit sur le visage quand on vieillit, et ce, quelle que soit la richesse accumulée... Tandis que celui qui gagne de l'argent en donnant le meilleur de lui-même et en respectant les autres peut s'enrichir en s'épanouissant.

Je ne pouvais m'empêcher de penser au *Portrait de Dorian Gray*, cet incroyable roman d'Oscar Wilde qui dépeint un homme malfaisant, dont chaque acte malveillant s'inscrit sur le visage d'un personnage peint sur un tableau, le marquant de plus en plus jusqu'à ce qu'il en devienne hideux.

– Vous disiez aussi que la façon dont on dépense l'argent est importante...

– Oui, si l'on utilise l'argent gagné pour donner à d'autres la possibilité d'exprimer leurs talents, leurs compétences, en faisant appel à leurs services, alors l'argent produit une énergie positive. À l'inverse, si l'on se contente d'accumuler des biens matériels, alors la vie se vide de son sens. On se dessèche petit à petit. Regardez autour de vous : les personnes qui ont passé leur vie à accumuler sans rien donner sont déconnectées des autres. Elles n'ont plus de vraies relations humaines. Elles ne sont plus capables de s'intéresser sincèrement à une personne, ni d'aimer. Et, croyez-moi, quand on en arrive là, on n'est pas heureux !

— C'est drôle quand j'y pense : je suis à l'autre bout du monde, je rencontre un maître spirituel, et c'est pour parler d'argent !

— En fait, on ne parle pas vraiment d'argent.

— Comment ça ?

— On parle des limites que vous vous mettez dans la vie. L'argent n'est qu'une métaphore de vos possibilités.

Je balançai les jambes au-dessus du vide et contemplai cet immense espace ouvert devant moi. Le léger souffle du vent chaud continuait de taquiner mes narines avec ses senteurs aériennes et de murmurer ses secrets à mes oreilles.

— Finalement, peut-être que je gagne suffisamment d'argent aujourd'hui et qu'il ne m'est pas nécessaire d'en avoir plus. Mais, dites-moi, puisque vous êtes si à l'aise avec l'argent, comment se fait-il que vous ne soyez pas richissime ?

Il sourit, avant de me répondre :

— Parce que je n'en ai pas besoin.

— Alors pourquoi m'aidez-vous à être plus à l'aise avec l'argent ?

— Parce qu'il faudra peut-être que vous parveniez à en gagner avant de pouvoir vous en détacher.

— Et si j'étais justement déjà détaché ?

Après un court silence, il me dit :

– Ce n'est pas un détachement, c'est un renoncement.

Ses paroles résonnèrent en moi ; j'eus l'impression que l'écho de sa voix se perpétuait en vibrations.

Je devais reconnaître qu'une fois de plus, il avait raison.

– Dans la philosophie hindouiste, reprit-il, on considère que gagner de l'argent est un objectif valable, et cela correspond à l'une des phases de l'existence. Il faut juste éviter de s'y enliser, et savoir ensuite évoluer vers autre chose pour réussir sa vie.

– Qu'est-ce qu'une vie réussie ? demandai-je un peu naïvement.

– Une vie réussie est une vie que l'on a menée conformément à ses souhaits, en agissant toujours en accord avec ses valeurs, en donnant le meilleur de soi-même dans ce que l'on fait, en restant en harmonie avec qui l'on est, et, si possible, une vie qui nous a donné l'occasion de nous dépasser, de nous consacrer à autre chose qu'à nous-mêmes et d'apporter quelque chose à l'humanité, même très humblement, même si c'est infime. Une petite plume d'oiseau confiée au vent. Un sourire pour les autres.

– Cela suppose que l'on connaisse ses souhaits.

– Oui.

– Et comment peut-on savoir si l'on agit en accord avec ses valeurs ?

– En étant à l'affût de ce que l'on ressent : si ce que vous faites ne respecte pas vos valeurs, vous éprouverez une certaine gêne, un léger malaise, ou un sentiment de culpabilité. C'est un signe qui doit vous amener à vous demander si vos actions ne sont pas en contradiction avec ce qui est important pour vous. Vous pouvez aussi vous demander, à la fin d'une journée, si vous êtes fier de ce que vous avez accompli, même s'il s'agit d'actes secondaires. C'est très important : on ne peut pas évoluer en tant qu'être humain, ni même simplement rester en bonne santé, quand on mène des actions qui violent nos valeurs.

– C'est amusant que vous fassiez un lien avec la santé, car je me souviens que, lorsque j'étais étudiant, j'avais fait un job d'été en tant que téléconseiller pour une compagnie d'assurances. Je devais appeler des gens pour leur conseiller de souscrire une certaine assurance. La compagnie savait que les trois quarts des personnes que l'on contactait bénéficiaient déjà, sans le savoir, de cette assurance parmi les services inclus dans leur carte bancaire. Mais il ne fallait surtout pas l'évoquer, et nous devions proposer à tout le monde cette assurance. Cet été-là, j'ai eu, pour la première fois de ma vie, une crise d'eczéma carabinée. Le médecin n'a jamais pu en identifier la cause, et les traitements prescrits n'ont rien changé ; je les ai abandonnés. L'eczéma a continué de se développer, et j'ai fini par arrêter ce travail car j'avais honte de me présenter au bureau dans cet état. Huit jours plus tard, tout avait disparu.

— On ne peut évidemment pas en être sûr, mais c'était peut-être un message de votre corps pour vous signaler que vous agissiez en contradiction avec vos valeurs de respect de l'autre, de confiance et d'honnêteté.

— Il est vrai que ce sont des valeurs fondamentales pour moi.

— J'en suis convaincu.

— Vous disiez aussi qu'il faut donner le meilleur de soi-même dans ce que l'on fait ?

— Oui, c'est l'une des clés du bonheur. Vous savez, l'être humain se complaît dans le laisser-aller, mais s'épanouit dans l'exigence de soi. C'est vraiment en étant concentré sur ce que l'on fait pour réussir la mise en œuvre de nos compétences, et en relevant chaque fois de nouveaux défis, que l'on se sent heureux. C'est vrai pour tout le monde, quels que soient notre métier ou le niveau de nos compétences. Et notre bonheur est accru si notre travail apporte quelque chose aux autres, même indirectement, même de façon modeste.

À cet instant précis, ma mémoire me transporta quatre années en arrière. J'étais au Maroc, à Marrakech. Je me baladais sur la place Djemaa el-Fna, en fin de journée. La nuit tombée plongeait la place dans une atmosphère envoûtante. De nombreuses gargotes faisaient crépiter leurs feux de bois sur lesquels grillaient des viandes. Les flammes projetaient leur lueur sur la foule des passants, illuminant fugacement les visages et faisant danser les ombres démesurées. L'odeur des merguez grillées rivalisait avec celle du couscous fumant. Les marchands à la sauvette étaient partout. Certains offraient des articles de cuir à peine sortis des ateliers de tannerie avoisinants, qui diffusaient encore leur odeur acide et agressive. D'autres exhibaient de grands plateaux de cuivre gravé qui réfléchissaient la lumière des feux, faisant jaillir des éclairs d'or sur les visages, les turbans et les djellabas. Les éclats de voix se mêlaient aux sons obsédants des tambourins et aux mélodies des flûtes des charmeurs de serpents. Je marchais, les yeux écarquillés, envoûté par cette atmosphère incroyable, les sens saturés de parfums, d'images, de sons, lorsque je fus interpellé par un petit homme d'une cinquantaine d'années, mince, tout en sourire, le visage déjà buriné par le soleil du Sud. Il était assis sur une caisse posée directement sur la terre battue, encadré par une gargote fumante et un marchand de poteries. Je lui souris en retour et regardai la chaise qu'il me désignait pour que je m'y asseye. C'est alors que je réalisai quel était son métier. Cireur de chaussures. Mon sourire se figea et je me raidis imperceptiblement. Je ne m'étais jamais senti à l'aise en considérant les métiers qui amènent ceux qui les exercent à effectuer des tâches ingrates. Cireur de chaussures était peut-être celui que j'acceptais le plus difficilement, car l'artisan opérait en présence de son client, devant lui, sur lui. Même les postures respectives de chacun me gênaient : le client assis sur une chaise haute, dominant la situation ; le cireur au-dessous, accroupi, assis, ou un genou à terre. Jamais je n'avais fait appel à ce genre de services.

L'homme renouvela son invitation et insista gentiment, m'offrant toujours son sourire rayonnant. L'Occidental que j'étais représentait sans doute, pour lui, le client idéal. Mais mon statut d'étranger accentuait précisément mon malaise : je ne voulais pas offrir à ses compatriotes la vue d'un Occidental se faisant cirer les chaussures par l'un des leurs, dans une position que je trouvais arrogante. Un mauvais cliché colonialiste. Je ne sus s'il perçut mon malaise ou l'interpréta comme une hésitation. Peut-être simplement mon absence d'indifférence à sa proposition lui donna-t-elle l'espoir de me convaincre. Il se leva, toujours souriant, et s'approcha de moi. Je n'eus pas le temps d'exprimer un refus : il était déjà sur moi, auscultant mes chaussures défraîchies tout en formulant son diagnostic et la promesse de leur rendre leur jeunesse. Ma difficulté à m'opposer aux sollicitations des autres explique sans doute pourquoi je me retrouvai, malgré moi, assis sur cette chaise que je considérais un instant plus tôt avec répugnance. Je n'osais regarder le monde autour de moi de peur de rencontrer des regards culpabilisants. Lui s'affairait déjà sur mes chaussures. Saisissant un demi-citron, il en frotta énergiquement le cuir défraîchi. Dans l'état où j'étais, plus rien ne devait m'étonner. Je crois que s'il avait écrasé une banane sur mes souliers, je n'en aurais pas été plus surpris. Il travaillait avec application et enthousiasme. Sûr de lui, il maîtrisait son geste, alternant le citron et divers types de brosses. Au loin, la flûte des charmeurs de serpents perpétuait sa complainte sans discontinuer. Je commençais à me déraidir un peu. Nous échangeâmes quelques phrases, mais il restait très concentré sur ce qu'il faisait, arborant toujours son sourire ineffable. Il appliqua une sorte de crème noirâtre avec un vieux chiffon, massant le cuir pour la faire pénétrer. Il entreprit ensuite de le lustrer avec une petite brosse agile, et, à mesure que mes chaussures reprenaient vie, son sourire s'élargissait, découvrant des dents éclatantes dont la blancheur contrastait avec sa peau brune. Lorsque mes chaussures devinrent aussi lisses et brillantes qu'au premier jour, ses yeux pétillèrent de fierté. J'avais complètement oublié ma gêne initiale. Sa joie était contagieuse, et je me sentis soudain très proche de cet homme que je ne connaissais pas quinze minutes auparavant. Je ressentais un véritable élan de sympathie pour lui, comme une onde d'amitié. Il me demanda un prix honnête que je réglai de bonne grâce, et, dans l'enthousiasme du moment, il insista pour m'offrir du thé à la menthe dans une petite tasse métallique, partageant ainsi sa joie en prolongeant la relation. Je pris soudainement conscience de ce qui m'apparut alors comme une évidence, une douloureuse évidence : cet homme était plus heureux que moi, qui disposais d'un métier valorisant et qui, malgré mes faibles moyens, étais sans doute mille fois plus riche que lui. Cet homme respirait le bonheur par tous les pores de sa peau, et ce bonheur rayonnait autour de lui.

Au seul souvenir de cette scène vécue quatre ans plus tôt, j'avais les yeux humides.

– Pourquoi avez-vous parlé de l'utilité d'avoir des défis à relever pour se sentir heureux en mettant en œuvre nos compétences? lui demandai-je.

– Parce que le défi stimule notre concentration, et que c'est lui qui nous pousse à donner le meilleur de nous-mêmes dans ce que nous faisons, et à en tirer ensuite une réelle satisfaction. C'est une condition pour nous épanouir dans nos actions.

– Vous disiez aussi qu'une vie est réussie quand on réalise des choses en harmonie avec qui l'on est. Mais comment fait-on pour savoir si c'est bien le cas?

– Imaginez que vous allez mourir ce soir, et que vous le savez depuis une semaine. De tout ce que vous avez fait dans la semaine, qu'est-ce que vous auriez conservé, sachant que vous alliez mourir?

– Ouh là! Ça c'est une question!

– Oui.

– Disons que cette dernière semaine était un peu particulière, compte tenu de notre rencontre. Il n'y a pas grand-chose que je changerais.

– Alors, prenez la semaine qui a précédé votre voyage à Bali.

– Eh bien... disons... euh... voyons...

J'essayai de me repasser mentalement le film de la semaine en question. Je m'efforçai de visualiser heure par heure ce que j'avais fait, et, pour chacune de mes actions, je me demandai si je l'aurais vraiment réalisée sachant que j'allais mourir à la fin de la semaine. Il me fallut plusieurs minutes pour lui répondre :

– Il y a environ 30 % de mes actions que j'aurais conservées, grosso modo.

– Vous êtes en train de me dire que vous auriez renoncé à faire 70 % de ce que vous avez fait, si vous aviez su que vous alliez mourir ?

– Ben, oui.

– C'est trop, beaucoup trop. Il est normal d'accomplir certaines tâches vides de sens, mais pas dans de telles proportions. En fait, vous devriez pouvoir inverser ce rapport : être capable d'affirmer que, sachant votre mort prochaine, vous continueriez d'effectuer 70 % de ce que vous faites habituellement. Ce serait un signe que vos actions sont en harmonie avec qui vous êtes.

– Je vois.

– Et vous remarquerez que c'est sans rapport avec la difficulté des tâches, mais simplement avec le sens qu'elles ont pour vous.

– Très bien, je suis d'accord avec tout ça dans l'absolu, mais en pratique ce n'est pas toujours possible de faire ce que l'on souhaite faire.

– On a toujours le choix.

– Non, si je ne faisais que ce qui est en accord avec moi-même, je risquerais de perdre mon boulot...

– Vous avez donc le choix de garder ou de perdre cet emploi.

– Mais je prendrais dans ce cas le risque d'en trouver un autre moins bien rémunéré. Je ne pourrais plus payer mon loyer !

– Vous auriez alors le choix de conserver cet appartement ou d'en prendre un moins cher, peut-être plus éloigné de votre travail.

– Ma famille et mes amis seraient déçus si je m'éloignais.

– Alors, vous auriez le choix de les satisfaire ou de les décevoir.

– Vu comme ça...

– C'est juste pour vous dire que le choix vous appartient. À certains moments, dans la vie, on n'a pas forcément beaucoup de choix, et ceux-ci sont peut-être douloureux, mais ils existent et, au final, c'est vous qui déterminez ce que vous vivez : vous avez toujours le choix, et c'est bien de garder à l'esprit cette idée.

– J'ai parfois l'impression que ce sont les autres qui choisissent pour moi.

– Alors, c'est que vous choisissez de les laisser décider pour vous.

– Je trouve quand même qu'il y a des gens qui disposent de plus de choix que d'autres.

– Plus on évolue dans sa vie, plus on se débarrasse des croyances qui nous limitent, et plus on a de choix. Et le choix, c'est la liberté.

Je regardai cet immense espace devant moi, cet espace vertigineux que rien n'arrêtait, et je me mis à rêver de liberté, le regard perdu à l'horizon, inspirant profondément cet air enivrant au parfum d'infini.

– Vous savez, reprit-il, on ne peut pas être heureux si l'on se voit victime des événements ou des autres. Il est important de réaliser que c'est toujours vous qui décidez de votre vie, quelle qu'elle soit. Même si vous êtes le dernier des subalternes sur votre lieu de travail, c'est vous qui êtes le directeur de votre vie. C'est vous qui êtes aux commandes. Vous êtes le maître de votre destin.

– Oui.

– Et vous ne devez pas avoir peur : vous découvrirez que c'est précisément lorsque vous vous autorisez à choisir des actions qui sont en harmonie avec vous, qui respectent vos valeurs et expriment vos compétences, que vous devenez très précieux pour les autres. Les portes s'ouvrent alors d'elles-mêmes. Tout devient plus facile, et l'on n'a plus besoin de lutter pour avancer.

Nous restâmes silencieux un long moment. Puis il se leva, et je rompis le silence.

– Je me suis renseigné pour mon billet d'avion. Je ne peux pas le changer sans payer un surcoût élevé. Vous aviez prévu de me dire aujourd'hui s'il me restait des choses importantes à découvrir nécessitant que l'on se voie demain.

– Je pense qu'il vous reste, en effet, un apprentissage majeur.

– Et demain, vous n'êtes toujours pas disponible le matin ?

– Non.

– Excusez-moi d'insister, mais vous ne pouvez absolument pas vous libérer pour me permettre de conserver mon avion l'après-midi ?

– Non.

Ce n'était vraiment pas de chance. J'étais devant un choix cornélien : devais-je renoncer à la dernière de ces rencontres qui, pourtant, me passionnaient et m'éveillaient à moi-même, ou payer un prix scandaleusement élevé pour déplacer mon retour ?

— Qu'est-ce que vous feriez à ma place? Vous changeriez de vol?

— C'est à vous de choisir, dit-il, un sourire satisfait sur les lèvres, plongeant son regard plein de bonté dans mes yeux interrogateurs.

L'infini se reflétait dans ses pupilles.

Il s'éloigna en direction du campan, de son pas lent et serein, et je le perdis de vue lorsqu'il entra dans le taillis de bambous.

17

Six cents dollars! Cela revenait presque à payer une deuxième fois mon billet de retour! Difficile à accepter... Cela plomberait mon compte bancaire en accentuant le découvert vertigineux qu'il devait déjà afficher. Mes relations avec mon banquier s'en trouveraient affectées pour un certain temps... Sans compter que prendre l'avion dimanche m'assurait d'arriver fatigué à la maison, quelques heures à peine avant de reprendre le travail. Perspective peu réjouissante. En même temps, ce n'était pas tous les jours que l'on avait l'occasion de rencontrer un homme comme maître Samtyang. Mais bon, ça faisait cher l'entretien! Vraiment, je ne savais plus quoi faire. Chaque option me semblait douloureuse, et je ne parvenais pas à décider.

J'étais au volant et j'approchais d'Ubud. Il me fallait trancher maintenant, car, pour changer mon billet, je devais arriver à l'agence de voyages de Kuta avant sa fermeture. J'approchais de l'endroit où je devrais choisir ma route.

J'essayai de peser le pour et le contre. En vain. J'avais à perdre et à gagner dans les deux situations. Choix impossible. Les décisions n'avaient jamais été mon fort ! Je n'allais quand même pas tirer à pile ou face, ce ne serait pas très glorieux : après cinq jours de développement personnel, je devais être capable de décider en toute conscience !

Ma conscience finit par me dire que je me remettrais d'une rentrée sur les chapeaux de roues et que je trouverais bien le moyen de combler un jour mon découvert. Dans six mois ou un an, j'aurais même oublié ce passage à vide. Tandis que je pourrais sans doute retirer pendant longtemps des bénéfices personnels de ce que le guérisseur allait m'apprendre, peut-être même toute ma vie. J'arrivai au carrefour et pris plein sud, direction Kuta. Comme disait Oscar Wilde, les folies sont les seules choses qu'on ne regrette jamais !

Je me souvenais du commentaire du Premier ministre du Mexique à l'époque où son pays accumulait des dettes abyssales. Un journaliste lui avait demandé si cela troublait son sommeil. Il avait répondu qu'un découvert de mille dollars vous empêchait de dormir la nuit, tandis que, pour un découvert de cent milliards de dollars, c'était votre banquier qui dormait mal. J'en conclus que mes dettes étaient sans doute encore très insuffisantes.

Il me fallut près d'une heure pour rejoindre Kuta. Je n'aimais pas ce lieu. Pour moi, Kuta n'était pas Bali. C'est là que l'on trouvait la plus forte concentration de touristes, notamment des surfeurs australiens. La nuit, la ville se transformait en boîte de nuit géante. Il était impossible de faire trois pas dans la rue sans être accosté par un Javanais vous proposant de la drogue ou une prostituée. Au choix. Dans les années soixante-dix, Kuta faisait partie du pèlerinage incontournable des hippies au sein de la boucle des trois K : Kuta, Katmandou, Kaboul. En 2002, Kuta, symbole de la dépravation de l'Occident, fut choisie par Al-Qaida pour y perpétrer l'un de ses attentats les plus sanglants.

Le trajet dura plus longtemps que prévu, et j'arrivai sur place en fin d'après-midi. L'agence de voyages fermait ses portes dans dix minutes. Je pris à vive allure l'étroite rue en sens unique où elle se trouvait. Par miracle, je repérai une place de stationnement juste devant. Arrivé à sa hauteur, je la dépassai afin de pouvoir m'y engager à reculons. Je m'aperçus alors que la voiture qui me suivait ne s'était pas arrêtée, bien que mon intention de me garer fût claire : non seulement j'avais mis mon clignotant à l'avance, mais, en plus, j'avais marqué une légère embardée devant la place, montrant ainsi que je comptais m'y garer. Non, il m'avait quand même suivi, m'empêchant de reculer. Je conservai un instant ma position en biais et mon clignotant enclenché afin de lui faire comprendre ma manœuvre, mais rien n'y fit : il ne reculait pas. Je baissai ma vitre, passai la tête et lui demandai de faire une petite marche arrière pour que je puisse me garer. Aucune autre voiture ne le suivant, c'était facile. Il était clair qu'il me comprenait, surtout que j'accompagnais mes mots de gestes explicites. En vain. De type occidental, la cinquantaine avancée, il avait le visage rouge cramoisi, symptôme commun aux blonds abusant du soleil et aux alcooliques. Dans son cas, j'optais volontiers pour la seconde explication. Il avait l'air buté de ceux qui ne disposent d'aucune souplesse d'esprit et ne veulent jamais rien lâcher. Une incroyable force d'inertie se dégageait de sa posture. Il semblait aussi lourd que sa voiture, ancré dans le sol. Je renouvelai mes gestes et mes paroles. Rien. Visage obtus, épaules verrouillées, bras figés, grosses mains crispées sur le volant : tout son corps exprimait sa volonté de ne pas céder. Car céder était manifestement le sens qu'il donnait au fait de reculer de deux mètres. Cela m'apparut comme une évidence : dans sa vie, sa relation aux autres devait être régie par des rapports de force, et sans doute devait-il croire que répondre à la demande de quelqu'un revenait à céder du terrain, à faire preuve de faiblesse. Mais oui, c'était ça ! Il devait avoir une croyance du type : « Dans la vie, il ne faut pas se laisser faire, ne jamais rien céder. » Dans d'autres circonstances, j'aurais trouvé cela très drôle – même si son entourage à lui ne devait pas rigoler tous les jours. Mais l'agence de voyages fermait dans cinq minutes. Je n'avais pas le choix, il fallait que je prenne cette place, pas le temps d'en chercher une autre. Les paroles du sage me revinrent alors en écho : on a toujours le choix. Je me dis subitement que je pouvais combattre la force d'inertie par la force d'inertie. Je coupai le contact, mis le frein à main et abandonnai ma voiture en plein milieu de la chaussée, bloquant la rue. Je me ruai dans l'agence et tendis mon billet à l'employée qui avait déjà commencé à éteindre les lumières. Le clavier de son ordinateur crépita, bientôt couvert par un klaxon en continu. Je présentai ma carte bancaire, un peu anxieux, en priant pour que le règlement ne soit pas refusé par le centre de paiement. L'opération dura un certain temps, ce qui me parut de mauvais augure, mais, en fin de compte, j'appris que le système avait accepté que je m'appauvrisse un peu plus.

Mon portefeuille ainsi allégé, un nouveau billet d'avion en poche, je retournai à ma voiture. Le conducteur était fou de rage. Sa main écrasait son klaxon en continu, et il ne la retira que pour me faire entendre un torrent d'insultes. Je lui adressai mon plus beau sourire, ce qui n'eut d'autre effet que de faire redoubler sa colère. Je démarrai, suivi de tellement près que j'avais l'impression qu'il allait me pousser. C'était vraiment ridicule. Je compris alors pleinement cette notion de choix abordée par le guérisseur. Ce qui était frappant, chez ce conducteur, c'était l'absence de choix de comportements que lui dictait sa personnalité. Il ne pouvait ni reculer, ni négocier, ni patienter. Il ne pouvait que passer en force. Cet homme n'était pas libre. Il était, au contraire, en prise avec ses croyances. C'était flagrant. Quinze jours auparavant, je me serais simplement dit : « Quel con ! » Aujourd'hui, je percevais que l'intelligence n'avait sans doute rien à voir avec son attitude aberrante.

Je m'étonnais tout seul de ma compréhension de comportements que j'avais jusqu'à présent l'habitude de rejeter avec, sans doute, une certaine intolérance. Porté par cette compréhension et une compassion nouvelles, cela me donnait l'envie d'observer et d'écouter plus les gens, et d'essayer de découvrir les croyances pouvant être à l'origine de leurs attitudes.

Je me rendis sur le bord de mer et m'attablai à la terrasse d'un beau café-glacier. J'ai toujours eu pour habitude de dépenser pour me consoler de mes ennuis financiers.

Je commandai un cocktail chocolat-avocat, mariage surprenant mais absolument délicieux, et m'installai confortablement dans un fauteuil en teck, face à la mer. Le vent avait dû souffler fort car les vagues étaient particulièrement hautes. Le soleil de fin de journée inondait le rivage de sa chaude lumière orangée, si flatteuse pour les maisons comme pour les visages. La plage jouait les vases communicants avec la terrasse de mon café, qui s'animait progressivement. C'était bon d'être seul sans l'être vraiment, de profiter de l'ambiance naissante sans devoir contribuer à sa création.

À la table voisine, deux jeunes gens discutaient. Elle, assez délicate et plutôt jolie, les cheveux châtains et les yeux bleus, un air un peu boudeur; lui, sans doute pas très grand mais assez costaud, la nuque épaisse et les cheveux bruns coupés ras, qu'elle appelait Dick. Elle lui racontait le spectacle d'ombres chinoises auquel elle avait assisté la veille au soir et qui l'avait visiblement fascinée. Il l'écoutait avec attention, même s'il me semblait clair que quelques ombres, si artistiques fussent-elles, n'auraient pas suffi à l'émouvoir. Peut-être était-il néanmoins touché par la sensibilité qu'elle exprimait. Je sentais qu'ils n'étaient pas en couple, mais qu'elle éprouvait à son égard des sentiments qu'elle n'avait sans doute pas encore dévoilés. Il la prénommait Doris, et j'étais incapable de dire ce qu'il ressentait pour elle. Dick faisait partie de ces hommes tellement virils que l'on ne sait pas si les émotions et les sentiments font partie de leur équipement d'origine. Je m'amusais à l'imaginer en homme des cavernes traînant sa compagne par les cheveux pour l'emmener dans son lit.

À une table jouxtant la leur, un surfeur adolescent, mi-boutonneux, mi-frimeur, sirotait un whisky-coca. Il regardait Doris avec attention, mais j'avais le sentiment que n'importe quelle autre fille aurait suscité chez lui le même intérêt. Lui et moi avions un point commun : aucun mot de la conversation d'à côté ne nous échappait.

Au bout d'un bon quart d'heure, Dick et Doris furent rejoints par une fille de leur âge, accompagnée par quelqu'un qu'ils ne connaissaient apparemment pas.

– Salut Kate! lança Dick.

– Salut Dick, salut Doris.

Je sentis immédiatement Doris se renfermer de façon imperceptible. Elle semblait contrariée. Il était clair qu'elle ne l'aimait pas. Qu'étaient-elles l'une pour l'autre?

Brune, à l'allure provocante, Kate était plus sexy que véritablement belle. Des talons plutôt hauts pour un bord de plage, une minijupe et les seins au balcon. Elle n'avait pas beaucoup de poitrine, mais saint Wonderbra était passé par là, et l'effet obtenu était satisfaisant. D'ailleurs, à la table voisine, le surfeur adolescent ne quittait plus des yeux son décolleté. Elle parlait en souriant, travaillant l'attitude hyper cool de la fille bien dans sa peau, bien dans son corps.

– Désolée, je suis en retard : je me suis changée en revenant de la plage et je ne retrouvais plus mes affaires. Impossible de mettre la main sur ma petite culotte.

Il était clair que l'ado surfeur avait l'intention de voir si elle l'avait retrouvée ou pas : son regard était descendu du décolleté à la minijupe qu'il fixait maintenant intensément, guettant l'instant propice qui lui révélerait la réponse. Doris sentit son exaspération monter d'un cran. Kate était satisfaite.

— Je vous présente Jenz, on s'est rencontrés sur la plage. Vous savez quoi : on fume tous les deux des Marlboro light mentholées, c'est dingue! dit Kate.

Très mince, les joues creuses, le sourire affable, Jenz se présenta comme étant originaire d'un « petit pays d'Europe », le Danemark en l'occurrence. L'ampleur de sa calvitie l'avait amené à se raser complètement le crâne, une façon habile de la faire disparaître aux yeux des autres. Il portait, en revanche, une barbe blond foncé très touffue. On avait l'impression qu'il cherchait à compenser avec sa barbe le manque de pilosité du sommet de son crâne. Sa voix était douce, au point qu'il fallait tendre l'oreille pour l'entendre. Il répondait aux questions que les autres lui posaient avec une humilité frisant l'autodévalorisation, l'air de s'excuser de demander pardon de déranger. Dick le regardait en fronçant légèrement les sourcils, comme s'il se demandait de quelle espèce animale il s'agissait. Pour lui, il n'était clairement pas normal qu'un homme soit aussi effacé. Jenz s'efforçait tellement de ne pas faire de heurts qu'il en devenait transparent. Au bout de cinq minutes, tout le monde avait oublié sa présence. Il n'existait plus.

Qu'est-ce qui pouvait pousser quelqu'un à se comporter ainsi? Que devait-il croire pour cela? Serait-ce quelque chose du genre « On me laissera tranquille si je me fais petit »? En tout cas, j'étais convaincu que Dick avait la croyance opposée, du type : « On me respectera si je suis fort! »

Jenz regardait amoureusement Kate, qui ne lui avait pourtant pas adressé un seul regard depuis qu'elle l'avait présenté aux autres. Elle l'ignorait complètement. Pourquoi l'avait-elle introduit dans le groupe? Pour le plaisir de s'afficher avec un admirateur béat qui démontrait son pouvoir de séduction? Pour faire réagir Dick? Il me semblait, en effet, qu'elle faisait de son mieux pour tenter d'accaparer son attention. Doris devait le sentir également, car son regard exaspéré jetait par moments des éclairs de haine.

Le barman prenait les commandes.

– Un blue lagoon, demanda Kate.

– Une eau pétillante, dit Doris.

– Qu'est-ce que tu veux boire? demanda Dick à Jenz.

– Ça m'est égal.

– Décide-toi!

– Bon, je prendrai comme vous.

– Deux bières, commanda Dick.

Dick était satisfait de sa journée.

– Y avait des putains de vagues, aujourd'hui, c'était fort. Enfin une journée où on s'emmerde pas, dit-il.

– C'était beau de voir le déchaînement des éléments, ajouta Doris.

– C'est vrai, glissa Jenz.

– Oh non! c'était pénible aujourd'hui, dit Kate. Il y avait deux types qu'ont pas arrêté de me draguer. J'en avais marre, ils me lâchaient plus.

– T'as qu'à faire du surf, répondit Dick. Sur l'eau, les mecs regardent que les vagues.

– Ah non! pas de surf, on tombe tout le temps, et je pourrais me faire mal aux seins si je fais un plat.

À la table voisine, le regard de l'ado surfeur remonta de la minijupe vers le décolleté.

Doris avait décidé de ne pas lutter. La sensibilité à fleur de peau, elle était de ces personnes qui veulent être aimées pour elles-mêmes, telles qu'elles sont, au point qu'elle avait pu développer la croyance que si elle faisait un effort pour plaire, alors on ne l'aimerait pas pour qui elle était, mais seulement pour ce qu'elle avait fait.

– Vous savez pourquoi un homme éjacule par saccades? lança Kate à la cantonade, créant un silence mi-gêné, mi-attentiste.

Dick appréciait visiblement la question et attendait la chute. Le visage de Doris affichait son mépris pour la vulgarité. Jenz souriait benoîtement.

– Parce qu'une femme avale par gorgées, ajouta-t-elle en soutenant le regard de Dick.

Jenz rit bêtement, Dick grassement. Doris était atterrée.

L'ado surfeur n'en revenait pas. Il ne savait pas que ça existait, une fille comme ça. Il en restait bouche bée. Son regard était verrouillé sur elle, il la dévorait des yeux. Il devait penser que c'était une bombe au lit. J'en étais nettement moins sûr : à mon avis, elle était beaucoup plus intéressée par l'impact qu'elle avait sur les hommes que par les hommes eux-mêmes.

Qu'est-ce qui pouvait pousser une fille à jouer la provocation au point de raconter en public des histoires obscènes? Que recherchait-elle? Que devait-elle croire sur elle-même et les autres? Sans doute avait-elle un besoin viscéral de séduire, de susciter chez l'autre du désir sexuel. Je commençais à percevoir quelques croyances possibles : « J'existe si je séduis », ou encore « J'ai de la valeur si je réussis à attirer les hommes ». En tout cas, je sentais que sa séduction agressive n'était pas un véritable choix, qu'elle répondait à un besoin dont elle était esclave.

Je m'étais mis à écouter les gens pour m'amuser à deviner leurs croyances, mais plus je les découvrais, plus j'étais triste de constater que les êtres humains ne sont pas libres. Cette absence de liberté n'avait pas pour origine un terrible dictateur, mais seulement ce que chacun croyait sur lui, les autres et le monde.

Sur le sable, des parents organisaient des jeux de plage pour leurs enfants. Je les observai un instant, et fus surpris de les entendre pousser leur progéniture dans la compétition avec les autres. Il ne suffisait pas qu'ils réussissent leurs activités, il fallait qu'ils battent leurs petits camarades, qu'ils soient *meilleurs* qu'eux. Que pouvaient croire ces parents ? Qu'on n'a de la valeur que lorsque l'on dépasse les autres ? Qu'un résultat n'est valable que s'il est meilleur que celui du voisin ? J'avais plutôt le sentiment que la seule compétition valable était celle que l'on avait avec soi-même. Se surpasser plutôt que dépasser. Le sage m'avait dit qu'on ne pouvait juger une croyance, seulement s'intéresser à ses effets. Quels pouvaient-ils être dans un cas pareil ? Une stimulation ? Certainement. Une motivation à progresser. Mais quels effets sur la relation aux autres? Peut-on vivre une amitié, un amour, quand on a l'habitude de se comparer à l'autre? Et que ressent-on en présence des gens? Oscille-t-on entre sentiments de supériorité et d'infériorité? Indifférence et déférence? ou pitié et jalousie? Ces parents étaient loin de se douter de ce qu'ils induisaient chez leurs enfants, et qui allait durablement conditionner leur vie en société. Leurs motivations, leurs comportements, leurs émotions seraient ainsi marqués par quelques croyances inculquées à l'âge où l'on absorbe les modèles proposés par l'extérieur.

D'ailleurs, comment ces parents avaient-ils eux-mêmes développé ces croyances? Les tenaient-ils de leurs propres parents, ou avaient-ils été confrontés à des personnes compétitives et, s'étant sentis humiliés, voulaient-ils maintenant que leurs enfants se retrouvent dans la position de ceux qui les avaient dominés? Dans ce cas, où était leur choix? Ne s'étaient-ils pas plutôt soumis au modèle de l'offenseur?...

Une autre table à proximité avait trouvé preneur. Un monsieur « je sais tout » discutait avec une dame qui lui faisait habilement croire qu'elle admirait son érudition alors que, manifestement, elle cachait son ennui. Sur chaque sujet, il s'efforçait d'étaler sa science. Il la reprenait même sur des imprécisions quand elle s'exprimait, ce qui était rare vu le peu d'espace qu'il lui laissait. Je me demandai lequel était le plus à plaindre dans cette situation, tellement il m'apparaissait dans le besoin impérieux de faire savoir qu'il savait. C'était vital pour lui. Il croyait peut-être ne pas exister autrement que par son savoir? Il craignait peut-être de passer pour un idiot ou un inculte? Ou peut-être croyait-il être dans l'incapacité d'être aimé par celui ou celle qui ne percevrait pas son érudition? Se retrouvait-il ainsi dans l'obligation de la lui démontrer?...

Le point commun entre toutes ces personnes était le peu de liberté dont elles semblaient jouir. Elles étaient aux prises avec leurs croyances, et ces croyances restreignaient leurs choix en dictant leurs conduites. J'en devenais de plus en plus conscient. Il me suffisait maintenant d'écouter et d'observer quelques instants des inconnus pour percevoir les croyances qui pouvaient sous-tendre leur attitude.

J'étais David Vincent dans *Les Envahisseurs*. Lui repérait les extraterrestres à leur petit doigt raide; ils étaient partout et avaient envahi la planète. Ma planète à moi était envahie par les croyances des gens. Elles étaient partout et gouvernaient leurs comportements.

18

J'avais repris ma voiture, pas mécontent de quitter Kuta, ses bars et son atmosphère surfaite. J'étais arrivé à mon bungalow dans la nuit noire et chaude, et mon bain rituel m'avait semblé divin.

La matinée du samedi me sembla interminable. Je la passai sur la plage à observer les rares va-et-vient des pêcheurs, à l'ombre d'un palmier. J'attendais l'après-midi avec impatience. Je me demandais quel était ce fameux « apprentissage majeur » que le sage me réservait pour notre dernière rencontre. J'avais d'ailleurs du mal à croire qu'il s'agissait de notre dernière rencontre. Je m'étais habitué à nos entrevues, et chacune m'avait tellement éveillé à moi-même qu'il m'était difficile d'admettre que leur cycle allait s'achever.

Pourquoi avais-je décidé, la première fois, de rencontrer ce guérisseur ? Quel hasard fou m'avait amené à entendre parler de lui et à venir le voir alors que je n'avais a priori pas besoin de lui ? C'est drôle, la vie, il y a parfois de toutes petites décisions qui ont des conséquences incroyables sur le cours de votre existence. Et, des années plus tard, on se demande comment elle se serait déroulée si l'on n'avait pas pris, à l'époque, cette toute petite décision mais une autre... Combien d'occasions de ce genre avais-je ainsi laissé passer sans même le savoir ? Combien de fois, dans les milliers de petits croisements de ma vie, avais-je opté malencontreusement pour le chemin banal, alors que l'autre se serait avéré merveilleux ?

Je pris un rapide déjeuner de bonne heure. Je voulais rejoindre le sage en tout début d'après-midi afin de pouvoir disposer d'un long moment avec lui. Ma motivation à profiter au maximum de cette rencontre était accentuée par le fait qu'il s'agissait de la dernière, mais aussi, je devais le reconnaître, en raison de ce qu'elle m'avait coûté. Le hasard voulut d'ailleurs que j'arrive en vue de son campan précisément à l'heure où mon avion aurait dû décoller. Le jardin était tel que je l'avais vu le premier jour, simple et beau, avec ses parfums délicats de fleurs du bout du monde. Je m'avançai et ne vis personne de prime abord. Le campan où il avait coutume de me recevoir était vide. Pas un bruit alentour. Peut-être étais-je venu trop tôt. J'en fis le tour : pas une âme qui vive. Je m'assis sur un muret près de l'entrée et attendis. Le silence du lieu était profané seulement par quelques bruissements de feuilles et le cri familier du gecko sans doute caché dans une charpente. Un tel calme était propice à la sérénité et, pour la première fois, je me dis que je n'étais peut-être pas fait pour vivre dans une grande ville. Vingt bonnes minutes s'écoulèrent avant qu'enfin je voie apparaître la jeune femme au chignon. Je m'avançai vers elle, et elle devança ma question.

— Maître Samtyang n'est pas disponible aujourd'hui, dit-elle.

— Si, je sais qu'il était occupé ce matin, mais il a prévu de me recevoir cet après-midi. Peut-être ne vous l'a-t-il pas dit. Pouvez-vous le prévenir ?

— Mais il n'est pas là.

— Bon, sans doute est-il en retard. Dans ce cas, je vais l'attendre dans le campan, dis-je, amorçant un mouvement.

— Non, il ne reviendra pas aujourd'hui, il m'a dit en partant que je le reverrai demain.

— Vous devez faire erreur, affirmai-je, je vous assure que j'ai rendez-vous avec lui, il est impossible qu'il l'ait oublié.

– Il ne l'a pas oublié, mais il n'est pas là, et vous ne le verrez pas.

Elle s'exprimait avec le même naturel que d'habitude, ne tenant pas compte de mon désarroi.

– Comment ça, il n'a pas oublié? dis-je, sentant la colère monter en moi.

– Non, il m'a dit que vous viendriez, en effet, cet après-midi.

– Qu'est-ce que c'est que cette histoire? explosai-je. J'ai changé mon billet d'avion à sa demande, exprès pour le rencontrer. Il faut que je le voie. Où est-il?

– Je ne sais pas.

La situation dépassait l'entendement. J'avais l'impression d'être dans un mauvais rêve.

– Il vous a dit quelque chose pour moi?

– Vous n'avez pas vu le mot qu'il vous a laissé?

– Où ça?

– Dans le campan.

J'y courus, dégoûté par la tournure des événements. Pourquoi me faire ce coup-là? Il savait ce que me coûtait le changement de billet. Quelle excuse allait-il me fournir?

Le mot était posé sur le coffre en bois de camphrier. Un papier jaunâtre, plié en quatre. Je me précipitai dessus et le dépliai. Je reconnus son écriture légère et sinueuse :

La déception, le désarroi ou peut-être même la colère que vous devez ressentir en entamant la lecture de ce message accompagnent votre transition vers une nouvelle dimension de votre être, un être qui n'a plus besoin de moi pour continuer son évolution.

En prenant la décision de venir aujourd'hui, vous avez accompli un apprentissage majeur pour vous, en développant une capacité qui vous faisait cruellement défaut à ce jour : la capacité de faire un choix qui vous coûte, et donc de renoncer à quelque chose, autrement dit de faire des sacrifices pour avancer sur votre voie. C'est désormais acquis, le dernier obstacle à votre épanouissement ayant ainsi volé en éclats. Vous disposez maintenant d'une force qui vous accompagnera toute votre vie. Le chemin qui mène au bonheur demande parfois de renoncer à la facilité, pour suivre les exigences de sa volonté au plus profond de soi.

Bonne route,

Samtyang

Je restai silencieux pendant un long moment.

J'étais passé de la colère à la stupéfaction, de la stupéfaction au doute, du doute à la compréhension, de la compréhension à l'acceptation, de l'acceptation à la reconnaissance, de la reconnaissance à l'admiration.

Cet homme avait eu le cran de m'imposer une épreuve, sachant que je lui en voudrais et pourrais même ne pas lui pardonner. Il l'avait fait parce qu'il savait qu'il ne suffisait pas de comprendre, ni même d'adhérer à une idée, pour évoluer. Il fallait vivre quelque chose d'intense, de personnellement impliquant, et c'était ce qu'il m'avait offert.

Par son absence, il avait du coup renoncé à recevoir mes adieux, mes remerciements et ma reconnaissance pour tout ce qu'il m'avait donné. Et, par cet acte, il démontrait lui-même ce qu'il venait de m'enseigner, amplifiant ainsi la force de son message. Du grand art.

Je restai seul un long moment, m'imprégnant pour la dernière fois de l'atmosphère si particulière de ce lieu chargé de sens, puis mes mains se portèrent à mon cou et retirèrent la chaînette avec la croix huguenote que je portais. Je la pris soigneusement et la déposai dans la petite boîte, la petite boîte sur l'étagère.

19

Je repris la route et, après une courte halte dans un village pour remplir mon sac de provisions, je roulai plein nord à vive allure. Une demi-heure plus tard, je me garai, resserrai les lacets de mes chaussures, endossai mon sac et m'engageai sur le sentier. Au bout de quelques minutes de marche, je ressentais déjà fortement la chaleur, et la sueur commençait à perler sur mon front. Je levai les yeux, ma main en visière pour les protéger du soleil. Me dominant de toute sa hauteur, tel un géant magnifique, immobile et immuable, le mont Skouwo était là.

L'ascension me prit près de quatre heures. Quatre heures d'efforts et, à certains moments, de souffrance. La montée était parfois raide, et le souffle alors me manquait. Parfois le sentier longeait le flanc de la montagne à la même altitude, et je me ressourçais en respirant l'air parfumé des essences d'arbustes tropicaux dont j'ignorais le nom. Plus je m'élevais, plus la vue devenait impressionnante.

Je parvins au sommet épuisé, vidé de mon énergie, mais empli d'une satisfaction intense. J'avais réussi à surmonter ma paresse, à mobiliser mon courage et mes forces, à aller au bout de ma décision, et maintenant je me sentais tout-puissant, debout sur le mont Skouwo, tel un capitaine à la proue de son bateau, dominant des kilomètres de terres, de rizières et de forêts, le vent sifflant à mes oreilles, m'enivrant d'un parfum d'aventure.

Pour moi, une nouvelle vie commençait, et, dorénavant, ce serait MA vie, fruit de mes décisions, de mes choix, de ma volonté. Adieu les doutes, les hésitations, les peurs d'être jugé, de ne pas être capable, de ne pas être aimé. Je vivrai chaque instant en conscience, en accord avec moi-même et avec mes valeurs. Je resterai altruiste, mais en gardant à l'esprit que le premier cadeau à faire aux autres est mon équilibre. J'accepterai les difficultés comme des épreuves à passer, des cadeaux que m'offre la vie pour apprendre ce que je dois apprendre afin d'évoluer. Je ne serai plus victime des événements, mais acteur d'un jeu dont les règles se découvrent au fur et à mesure, et dont la finalité gardera toujours une part de mystère.

La descente fut rapide, et je fis un détour pour m'asseoir au bord du lac qui s'étendait au pied de la montagne, et sur lequel régnait le temple de la déesse des Eaux. Lieu magique, inouï de beauté. Le soleil, qui se couchait sur le lac désert, disparut bientôt pour plonger la scène dans une ambiance fantasmagorique. Vaste étendue d'eau sombre dominée par l'ombre gigantesque du mont Skouwo. Pas une habitation en vue. Pas une âme qui vive. Le silence absolu. Et le temple noir à la toiture en pagode se détachait en ombre chinoise sur le reflet blanc des nuages, à la surface du lac. Je restai un long moment assis, buvant la sérénité du lieu, m'emplissant de calme et de beauté.

Je rentrai de nuit à mon bungalow, me concentrant sur la route pour éviter les nombreux automobilistes balinais roulant tous feux éteints. J'arrivai fatigué et léger à la fois. Je rejoignis le bord de mer. La lune montante baignait ma plage dans une atmosphère reposante. Personne. Les familles de pêcheurs avaient quitté les lieux depuis longtemps.

Je me déshabillai complètement et entrai nu dans l'eau tiède. Je nageai en silence, détendu et libre, sentant l'eau glisser sur mon corps. J'avais l'impression d'onduler avec le lent mouvement des vagues et de me fondre dans l'océan. Je pris une grande bouffée d'air et pénétrai l'eau en plongeant doucement vers le fond. Je saisis une pierre qui reposait sur le sable. Son poids me permit de demeurer entre deux eaux, ni attiré vers la surface, ni happé par le fond. Je me rassemblai sur moi-même, ramenant mes genoux sur la poitrine tout en gardant la pierre dans mes bras. Je restai ainsi un long moment en apesanteur, immergé dans cette eau tiède et douce, ressentant le bruit feutré et sourd des vagues en surface, pulsations régulières et apaisantes.

20

Je me réveillai sur le sable. Le soleil était déjà levé, et je ne me souvenais pas de m'être endormi sur la plage. J'avais pourtant mes vêtements, signe que je n'avais pas été porté par les vagues sur le rivage, pendant mon bain de nuit. Je me levai et m'étirai, emplissant mes poumons de l'air pur venu du large. Je me sentais un nouvel homme.

Les pirogues des pêcheurs étaient déjà sur le trajet du retour, éclairées par la lumière horizontale du matin. Je fis quelques pas au bord de l'eau, mes pieds sculptant sur le sable des traces condamnées à être effacées par la prochaine vague dans un doux murmure d'écume. Au large, un paquebot voguait, emmenant des centaines de passagers à la découverte des Célèbes, de Java ou de Bornéo.

J'aperçus une enfant, seule sur la plage, sans doute la fille de l'un des rares touristes à découvrir ce lieu. Elle avait peut-être cinq ou six ans. Munie d'un bâton, elle dessinait avec application quelque chose sur le sable. Elle me vit approcher, et, lorsque j'arrivai à sa hauteur, elle me lança un rapide sourire, ne se détournant qu'une seconde de son ouvrage.

— Qu'est-ce que c'est? lui demandai-je.

— Un paquebot, bien sûr, répondit-elle sur un ton offusqué, tout en continuant de dessiner.

— Tu aimes les bateaux?

— Oui. Avant, je voulais devenir capitaine de navire.

— Tu as changé d'avis?

— Oui, parce que c'est trop difficile pour moi.

Elle disait cela sur un ton de regret.

— Comment le sais-tu?

— C'est mon grand-père qui me l'a dit. Il dit que c'est un métier pour les garçons, pas pour les filles.

Elle peaufinait son dessin, affichant maintenant un petit air triste qui me fendit le cœur.

— Comment t'appelles-tu?

— Andy.

— Écoute, Andy, regarde-moi.

Elle lâcha son bâton et se tourna vers moi. Je tombai à genoux dans le sable, me mettant à sa hauteur.

– Je suis persuadé que ton grand-père t'aime beaucoup et qu'il te veut du bien. Mais je vais te dire quelque chose. Comme un secret que tu garderas toujours avec toi. Tu veux?

– Oui.

– Andy, ne laisse jamais personne te dire ce dont tu n'es pas capable. C'est à toi de choisir et de vivre ta vie.

Elle me regarda dans les yeux et resta concentrée un moment. Puis son air sérieux s'effaça progressivement pour laisser apparaître un sourire qui illumina tout son visage. Elle s'éloigna d'une démarche confiante, le regard tourné vers le large, où le paquebot traçait sa route à l'horizon.

Cet ouvrage a été composé et imprimé par

FIRMIN DIDOT

GROUPE CPI

Mesnil-sur-l'Estrée

pour le compte des Éditions Anne Carrière
104, bd Saint-Germain 75006 Paris
en janvier 2008

Imprimé en France
Dépôt légal : février 2008
N° d'édition : 457 – N° d'impression : 87642